D1366266

folio
junior

LES HISTOIRES FONT DU BIEN !

Roald Dahl disait : « Si vous avez de bonnes pensées, elles feront briller votre visage comme des rayons de soleil et vous serez toujours radieux. »

Nous croyons aux bonnes actions. C'est pourquoi 10 % de tous les droits d'auteur* de Roald Dahl sont versés à nos partenaires de bienfaisance. Nous avons apporté notre soutien à de nombreuses causes : aux infirmières qui s'occupent d'enfants, aux associations qui fournissent une aide matérielle à des familles dans le besoin, à des programmes d'aide sociale et éducative… Merci de nous aider à soutenir ces activités essentielles.

Pour en savoir plus : roalddahl.com

Le Roald Dahl Charitable Trust est une association caritative anglaise enregistrée sous le numéro 1119330.
* Tous les droits d'auteur versés sont nets de commission.

ROALD DAHL

CHARLIE ET LA CHOCOLATERIE

Illustré par Quentin Blake

Traduit de l'anglais
par Élisabeth Gaspar

GALLIMARD JEUNESSE

Titre original : *Charlie and the Chocolate Factory*

© Roald Dahl Nominee Ltd, 1964, pour le texte
© Quentin Blake, 1995, pour les illustrations
© Éditions Gallimard, 1967, pour la traduction française
© Éditions Gallimard Jeunesse, 2007, pour la présente édition

Les cinq enfants du livre sont :

AUGUSTUS GLOOP
Un petit garçon très gourmand

VERUCA SALT
Une petite fille gâtée par ses parents

VIOLETTE BEAUREGARD
*Une petite fille qui passe ses journées
à mâcher du chewing-gum*

MIKE TEAVEE
*Un petit garçon qui ne fait
que regarder la télévision*

et
CHARLIE BUCKET
Notre héros

Pour Théo

1
Voici Charlie

Ce vieux monsieur et cette vieille dame
sont les parents de Mr Bucket.
Ils s'appellent grand-papa Joe
et grand-maman Joséphine.

Et voici deux autres vieux.
Le père et la mère de Mrs Bucket.
Ils s'appellent grand-papa Georges
et grand-maman Georgina.

Voici Mr Bucket. Voici Mrs Bucket.
Mr et Mrs Bucket ont un petit garçon
qui s'appelle Charlie Bucket.

Voici Charlie.
Bonjour, Charlie ! Bonjour,
bonjour et re-bonjour.
Il est heureux de faire votre connaissance.

Toute cette gentille famille – les six grandes personnes (comptez-les !) et le petit Charlie Bucket – vivait réunie dans une petite maison de bois, en bordure d'une grande ville.

La maison était beaucoup trop petite pour abriter tant de monde et la vie y était tout sauf confortable. Deux pièces seulement et un seul lit. Ce lit était occupé par les quatre grands-parents, si vieux, si fatigués. Si fatigués qu'ils n'en sortaient jamais.

D'un côté, grand-papa Joe et grand-maman Joséphine. De l'autre, grand-papa Georges et grand-maman Georgina.

Quant à Charlie Bucket et à ses parents, Mr et Mrs Bucket, ils dormaient dans l'autre pièce, par terre, sur des matelas.

En été, ce n'était pas bien grave. Mais en hiver, des courants d'air glacés balayaient le sol toute la nuit. Et cela, c'était effrayant.

Pas question d'acheter une maison plus confortable, ni même un autre lit. Ils étaient bien trop pauvres pour cela.

Mr Bucket était le seul, dans cette famille, à avoir un emploi. Il travaillait dans une fabrique de pâte dentifrice.

Assis sur un banc, il passait ses journées à visser les petits capuchons sur les tubes de dentifrice. Mais un visseur de capuchons sur tubes de dentifrice est toujours très mal payé, et le pauvre Mr Bucket avait beau travailler très dur et visser ses capuchons à toute vitesse, il ne parvenait jamais à gagner assez pour acheter seulement la moitié de ce qui aurait été indispensable à une si nombreuse famille. Pas même assez pour nourrir convenablement tout ce petit monde. Rien que du pain et de la margarine pour le petit déjeuner, des pommes de terre bouillies et des choux pour le déjeuner, et de la soupe aux choux pour le repas du soir. Le dimanche, ils mangeaient un peu mieux. C'est pourquoi ils attendaient toujours le dimanche avec impatience. Car ce jour, bien que le menu fût exactement le même, chacun avait droit à une seconde portion.

Bien sûr, les Bucket ne mouraient pas de faim, mais tous – les deux vieux grands-pères, les deux vieilles grand-mères, le père de Charlie, la mère de Charlie, et surtout le petit Charlie lui-même – allaient et venaient du matin au soir avec un sentiment de creux terrible dans la région de l'estomac.

Et c'est Charlie qui le ressentait plus fort que tous les autres. Ses parents avaient beau se priver souvent de déjeuner ou de dîner pour lui abandonner leur part, c'était toujours insuffisant pour un petit garçon en pleine croissance. Il réclamait désespérément quelque chose de plus nourrissant, de plus réjouissant que des choux et de la soupe aux choux. Mais ce qu'il désirait par-dessus tout, c'était… du CHOCOLAT.

En allant à l'école, le matin, Charlie pouvait voir les grandes tablettes de chocolat empilées dans les vitrines. Alors il s'arrêtait, les yeux écarquillés, le nez collé à la vitre, l'eau à la bouche. Plusieurs fois par jour, il voyait les autres enfants tirer de leurs poches des bâtons de chocolat pour les croquer goulûment. Ce qui, naturellement, était pour lui une véritable torture.

Une fois par an seulement, le jour de son anniversaire, Charlie Bucket avait droit à un peu de chocolat. Toute la famille faisait des économies en prévision de cette fête exceptionnelle et, le grand jour arrivé, Charlie se voyait offrir une petite tablette de chocolat, pour lui tout seul. Et chaque fois, en ce merveilleux matin d'anniversaire, il plaçait la tablette avec soin dans une petite caisse de bois pour la conserver précieusement comme un lingot d'or massif ; puis, pendant quelques jours, il se contentait de la regarder sans même oser y toucher. Enfin, quand il n'en pouvait plus, il retirait un tout petit bout de papier, dans le coin, découvrant un tout petit bout de chocolat, et puis il prenait ce petit bout, juste de quoi grignoter, pour le laisser fondre doucement sur sa langue. Le lendemain, il croquait un autre petit bout, et ainsi de suite, et ainsi de suite. C'est comme ça que Charlie faisait durer plus d'un mois le précieux cadeau d'anniversaire qu'était cette petite tablette de chocolat à deux sous.

Mais je ne vous ai pas encore dit ce qui torturait plus que toute autre chose l'amateur de chocolat qu'était le petit Charlie. Et cette torture-là était bien pire que la vue des tablettes de chocolat dans les vitrines ou le spectacle des enfants qui croquaient leurs confiseries sous son nez. Vous n'imaginerez pas de plus monstrueux supplice : dans la ville même, bien visible depuis la maison où habitait Charlie, se trouvait une ÉNORME CHOCOLATERIE !

Imaginez un peu !

Et ce n'était même pas une chocolaterie ordinaire. C'était la plus importante et la plus célèbre du monde entier ! C'était la CHOCOLATERIE WONKA, propriété d'un dénommé Mr Willy Wonka, le plus grand inventeur et fabricant de chocolat de tous les temps. Et quel endroit merveilleux, fantastique ! De grandes portes de fer, un haut mur circulaire, des cheminées crachant des paquets de fumée, d'étranges sifflements venant du fond du bâtiment. Et dehors, tout autour, dans un secteur de près d'un kilomètre, l'air embaumait d'un riche et capiteux parfum de chocolat fondant !

Deux fois par jour, sur le chemin de l'école, puis au retour, le petit Charlie Bucket passait devant les portes de la chocolaterie. Et, chaque fois, il se mettait à marcher très très lentement, le nez en l'air, pour mieux respirer cette délicieuse odeur de chocolat qui flottait autour de lui.

Oh ! comme il aimait cette odeur !

Et comme il rêvait de faire un tour à l'intérieur de la chocolaterie, pour voir à quoi elle ressemblait !

2
La chocolaterie
de Mr Willy Wonka

Le soir, après avoir mangé sa soupe aux choux noyée d'eau, Charlie allait toujours dans la chambre de ses quatre grands-parents pour écouter leurs histoires, et pour leur souhaiter bonne nuit.

Chacun d'eux avait plus de quatre-vingt-dix ans. Ils étaient fripés comme des pruneaux secs, ossus comme des squelettes et, toute la journée, jusqu'à l'apparition de Charlie, ils se pelotonnaient dans leur lit, deux de chaque côté, coiffés de bonnets de nuit qui leur tenaient chaud, passant le temps à ne rien faire. Mais dès qu'ils entendaient la porte s'ouvrir, puis la voix du petit Charlie qui disait : « Bonsoir, grand-papa Joe et grand-maman Joséphine, bonsoir, grand-papa Georges et grand-maman Georgina », tous les quatre se dressaient dans leur lit, leurs vieilles figures ridées lui souriaient, illuminées de plaisir – et ils commençaient à lui raconter des histoires. Car ils aimaient beaucoup le petit garçon. Il était leur seule joie et, toute la journée, ils attendaient impatiemment l'heure de sa visite.

Souvent, ses parents l'accompagnaient et, debout dans l'encadrement de la porte, ils écoutaient les histoires des grands-parents ; ainsi, chaque soir, pendant une demi-heure environ, la chambre devenait un endroit joyeux et toute la famille oubliait la faim et la misère.

Un soir, en venant voir ses grands-parents, Charlie leur dit :

– Est-il bien vrai que la chocolaterie Wonka est la plus grande du monde ?

– Si c'est vrai ? s'écrièrent-ils en chœur. Bien sûr que c'est vrai ! Bonté divine, tu ne le savais donc pas ? Elle est à peu près cinquante fois plus grande que toutes les autres !

– Et Mr Willy Wonka est-il vraiment le plus habile de tous les fabricants de chocolat ?

– Mon garçon, dit grand-papa Joe en se soulevant sur son oreiller, Mr Willy Wonka est le chocolatier le plus *fascinant*, le plus *fantastique*, le plus *extraordinaire* qu'on ait jamais vu ! Je croyais que tout le *monde* savait cela !

– Je savais qu'il était célèbre, grand-papa Joe, et je savais aussi qu'il était très habile…

– *Habile* ! s'écria le vieil homme. Il est beaucoup plus que ça ! C'est un *magicien* du chocolat ! Il sait tout faire – tout ce qu'il veut ! Pas vrai, mes amis ?

Les trois autres vieux se mirent à hocher doucement la tête, et ils dirent :

– C'est *absolument* vrai. Rien n'est plus vrai.

Et grand-papa Joe s'étonna :

– Tu veux dire que je ne t'ai jamais parlé de Mr Willy Wonka et de sa chocolaterie ?

– Jamais, répondit le petit Charlie.

– Bonté divine ! Où avais-je la tête ?

– Veux-tu m'en parler maintenant, grand-papa Joe, s'il te plaît ?

– Certainement. Viens t'asseoir près de moi sur le lit, mon petit, et écoute-moi bien.

Grand-papa Joe était le plus vieux des quatre grands-parents. Il avait quatre-vingt-seize ans et demi, et il est très difficile d'être plus vieux que lui. Comme toutes les personnes extrêmement âgées, il était fragile et de santé délicate. Dans la journée, il parlait à peine. Mais le soir, en présence de Charlie, son petit-fils bien-aimé, il semblait rajeunir comme par miracle. Toute fatigue le quittait et il devenait vif et remuant comme un jeune garçon.

– Oh ! quel homme, ce Mr Willy Wonka ! s'écria grand-papa Joe. Est-ce que tu savais, par exemple, qu'il a inventé à lui seul plus de deux cents nouvelles variétés de chocolat, chacun fourré de façon différente, plus sucrés, plus onctueux, plus délicieux les uns que les autres ? Aucun autre chocolatier ne peut en faire autant !

– C'est la vérité ! cria grand-maman Joséphine. Et il les expédie aux quatre coins de la terre ! N'est-ce pas, grand-papa Joe ?

– C'est vrai, ma chère, c'est vrai. Il en envoie à

tous les rois et à tous les présidents du monde entier. Mais il ne fait pas seulement des tablettes de chocolat. Oh! mon Dieu, il fait mieux! Il a plus d'un tour dans son sac, cet étonnant Mr Willy Wonka! Sais-tu qu'il a inventé un procédé permettant à la glace au chocolat de rester froide pendant des heures et des heures sans qu'on ait besoin de la mettre au frigo? On peut même l'exposer au soleil, toute la matinée, un jour de grande chaleur, et elle ne fondra pas!

– Mais c'est *impossible*! dit le petit Charlie en ouvrant des yeux tout ronds sur son grand-père.

– Bien sûr que c'est impossible! s'écria grand-papa Joe. C'est même tout à fait *absurde*! Mais Mr Willy Wonka le peut!

—C'est juste ! approuvèrent les autres en hochant la tête. Mr Wonka le peut.

—Et puis, reprit grand-papa Joe en parlant très lentement pour que Charlie ne perde pas un mot de ce qu'il disait, Mr Willy Wonka sait faire des pâtes de guimauve parfumées à la violette, et des caramels mous qui changent de couleur toutes les dix secondes quand on les suce, et des bonbons feuilletés qui fondent délicieusement dès qu'on les prend entre ses lèvres. Il fabrique du chewing-gum qui ne perd jamais son goût, et des ballons en pâte de fruits qui deviennent énormes quand on souffle dedans, puis on les pique avec une épingle et on les avale. Et puis, il a une méthode secrète pour faire de beaux œufs d'oiseaux bleus, tachetés de noir, et si on en prend un dans la bouche, il devient de plus en plus petit jusqu'à ce que, soudain, il ne vous en reste qu'un minuscule bébé oiseau tout rosé, en sucre, perché au bout de la langue.

Grand-papa Joe se tut un instant pour se passer lentement le bout de la langue sur les lèvres.

– Rien que d'y penser, j'en ai l'eau à la bouche, dit-il.

– Moi aussi, dit le petit Charlie. Mais continue, s'il te plaît !

Tandis qu'ils parlaient, Mr et Mrs Bucket, les parents de Charlie, étaient entrés sur la pointe des pieds. Tous deux se tenaient près de la porte et écoutaient.

– Raconte à Charlie l'histoire de ce prince indien fou, dit grand-maman Joséphine. Il l'aimera bien.

– Tu veux parler du prince Pondichéry ? dit grand-papa Joe, puis il éclata de rire.

– *Complètement* toqué ! dit grand-papa Georges.

– Mais *très* riche, dit grand-maman Georgina.

– Qu'est-ce qu'il a fait ? demanda vivement Charlie.

– Tu le sauras, dit grand-papa Joe, écoute-moi bien.

3
Mr Wonka et le prince indien

– Le prince Pondichéry avait écrit à Mr Willy Wonka, dit grand-papa Joe, pour lui demander de venir d'urgence en Inde, afin de lui bâtir un immense palais, tout en chocolat.

– Et Mr Wonka l'a-t-il bâti, grand-papa ?

– Il l'a bâti. Et quel palais ! Il comptait une centaine de chambres, et *tout* y était en chocolat, tantôt clair, tantôt sombre ! Les briques étaient en chocolat, le ciment qui les faisait tenir était en chocolat, les fenêtres étaient en chocolat, tous les murs et tous les plafonds étaient faits de chocolat, ainsi que les tapis, les tableaux, les meubles et les lits ; et quand on ouvrait les robinets de la salle de bains, il en coulait du chocolat chaud.

« Lorsque tout fut terminé, Mr Wonka dit au prince Pondichéry : "Je vous préviens, tout cela risque de ne pas durer très longtemps, vous feriez donc mieux de le manger sans trop attendre.

« – Insensé ! hurla le prince. Je ne mangerai pas mon palais ! Je ne grignoterai même pas l'escalier, je ne lécherai même pas les murs ! Je m'y installerai !"

« Mais, naturellement, Mr Wonka avait raison, car peu après, il y eut un jour de très grande chaleur. Le soleil cuisait fort et tout le palais se mit à fondre, puis à s'écrouler en douceur, et ce fou de prince qui somnolait dans sa salle de séjour se réveilla, flottant au milieu d'un grand lac brun et onctueux, un lac de chocolat.

Assis bien tranquille sur le bord du lit, le petit Charlie avait les yeux fixés sur son grand-père. Son visage était tout illuminé, et ses yeux si grands ouverts qu'on pouvait en voir le blanc, tout autour.

– Est-ce que c'est bien vrai, tout ça ? demanda-t-il. Ne me fais-tu pas marcher ?

– C'est la vérité ! s'écrièrent les quatre vieux en chœur. Bien sûr que c'est la vérité ! Demande à qui tu voudras !

– Et ce n'est pas tout, dit grand-papa Joe. Il se pencha plus près de Charlie et baissa la voix pour chuchoter confidentiellement : *Personne… n'en… sort… jamais !*

– Mais d'où ? demanda Charlie.

– *Et… personne… n'y… entre… jamais !*

– Où ça ? cria Charlie.

– Je parle de la chocolaterie Wonka, voyons !

– Que veux-tu dire, grand-papa ?

– Je parle des *ouvriers*, Charlie.

– Des ouvriers ?

– Toutes les usines, dit grand-papa Joe, ont des ouvriers qui arrivent en foule le matin et qui repartent le soir – toutes les usines, sauf la chocolaterie Wonka ! As-tu jamais vu une seule personne y entrer – ou en sortir ?

Le petit Charlie interrogea lentement du regard les quatre vieux visages, l'un après l'autre, et ils répondirent à son regard, graves et souriants à la fois. Personne n'avait l'air de plaisanter ou de se moquer de lui.

– Eh bien ? En as-tu vu ? demanda grand-papa Joe.

– Je… je ne sais pas, grand-papa, balbutia Charlie. Quand je passe devant l'usine, les portes ont toujours l'air d'être fermées.

– Exactement ! dit grand-papa Joe.

– Mais il doit bien y avoir des gens qui y travaillent…

– Pas des *gens*, Charlie. Pas des *gens ordinaires*, en tout cas.

– Alors, qui ? cria Charlie.

– Ha ha… Nous y voilà… C'est là une autre astuce de Mr Willy Wonka.

– Mon petit Charlie, appela Mrs Bucket depuis la porte, il est temps d'aller te coucher. Ça suffit pour ce soir.

– Mais, maman, je *veux* savoir…

– Demain, mon chéri…

– C'est ça, dit grand-papa Joe. Tu connaîtras la suite demain soir.

Les ouvriers mystérieux

Le lendemain, grand-papa Joe raconta la suite de son histoire.

– Vois-tu, Charlie, dit-il, il n'y a pas si longtemps, la chocolaterie de Mr Willy Wonka comptait des milliers d'ouvriers. Puis un jour, soudain, Mr Wonka dut tous les prier de rentrer chez eux, de ne jamais revenir.

– Mais pourquoi ? demanda Charlie.

– À cause des espions.

– Des espions ?

– Oui. Car tous les autres chocolatiers s'étaient mis à jalouser les merveilleuses confiseries que fabriquait Mr Wonka, et à lui envoyer des espions pour lui voler ses recettes. Les espions se firent embaucher par la chocolaterie Wonka en se faisant passer pour de simples ouvriers, et cela leur permit, pendant qu'ils y étaient, d'étudier de quoi étaient faites certaines de ses spécialités.

– Et puis ils retournaient à leurs propres usines pour tout raconter ? demanda Charlie.

– Je suppose, répondit grand-papa Joe, puisque, peu après, la chocolaterie Fickelgruber s'était mise à fabriquer une crème glacée qui ne fondait jamais, même par la plus grande chaleur. Puis la chocolaterie Prodnose sortit un chewing-gum qui ne perdait jamais sa saveur, même après des heures de mastication. Et puis la chocolaterie Slugworth s'est mise à fabriquer des ballons de confiserie que l'on gonflait et crevait avant de les consommer. Et ainsi de suite, et ainsi de suite. Et Mr Willy Wonka tira sur sa barbe et hurla : « C'est épouvantable ! Je vais être ruiné ! Des espions partout ! Je serai obligé de fermer mon usine ! »

– Mais il ne l'a pas fermée ! dit Charlie.
– Mais si, il l'a fermée. Après avoir dit à tous ses ouvriers qu'il était navré, mais qu'ils devaient rentrer chez eux, il a fermé la porte cochère et l'a attachée avec une chaîne. Et soudain, la gigantesque

chocolaterie Wonka est devenue silencieuse et déserte. Les cheminées ont cessé de fumer, les machines de ronronner et, à partir de ce fameux jour, on n'y fabriquait plus un bonbon, plus une bouchée de chocolat. Plus personne n'entrait ni ne sortait. Pas un chat. Quant à Mr Willy Wonka, il disparut complètement.

« Des mois et des mois passèrent, poursuivit grand-papa Joe, mais la chocolaterie était toujours fermée. Et tout le monde disait : "Pauvre Mr Wonka. Il était si gentil. Et il faisait de si merveilleuses sucreries. Le voilà ruiné. Tout est fini !"

« Puis il arriva quelque chose d'étonnant. Un jour, de bon matin, on vit cinq panaches de fumée blanche sortir des grandes cheminées de la chocolaterie ! Les passants s'arrêtaient en écarquillant les yeux ! "Que se passe-t-il ! s'écrièrent les gens. Quelqu'un a allumé les fourneaux ! Mr Wonka a dû rouvrir son usine !" Ils coururent aux portes, s'attendant à les trouver grandes ouvertes, et à y voir Mr Wonka en train de souhaiter la bienvenue à ses anciens ouvriers.

« Mais non ! Les grandes portes de fer étaient cadenassées plus hermétiquement que jamais et Mr Wonka, lui, demeurait invisible.

« – Mais la chocolaterie fonctionne ! criaient les gens. Écoutez les machines ! Elles bourdonnent de nouveau ! Et on sent partout cette odeur de chocolat fondu !

Grand-papa Joe se pencha en avant et posa un long doigt décharné sur le genou de Charlie. Puis il dit à voix basse :

— Mais ce qu'il y avait de plus mystérieux, Charlie, c'étaient les ombres qu'on apercevait par les fenêtres de l'usine. Car les gens passant dans la rue pouvaient voir de petites ombres noires qui se déplaçaient derrière les vitres dépolies.

— Les ombres de qui ? demanda vivement Charlie.

— C'est exactement ce que tout le monde voulait savoir. « L'usine est pleine d'ouvriers ! criaient les gens. Pourtant, personne n'est entré ! Les portes sont verrouillées ! C'est insensé ! Et personne ne sort jamais ! »

« Mais ce qui ne faisait plus de doute, dit grand-papa Joe, c'est que la chocolaterie fonctionnait. Et pendant les dix dernières années, elle ne devait plus s'arrêter. Et, qui plus est, ses chocolats et ses bonbons étaient encore plus fantastiques, encore plus délicieux qu'avant. Et, naturellement, quand Mr Wonka invente maintenant une nouvelle et merveilleuse variété de confiserie, ni Mr Fickelgruber, ni Mr Prodnose, ni Mr Slugworth, ni qui que ce soit n'arrive à le copier. Leurs espions ne peuvent plus pénétrer dans l'usine pour s'emparer de la recette.

— Mais *qui*, grand-papa, s'écria Charlie, *qui* est-ce qui travaille maintenant pour Mr Wonka ?

– On n'en sait rien, Charlie.

– Mais c'est *absurde* ! Personne n'a donc essayé de le demander à Mr Wonka ?

– Plus personne ne le voit. Il ne sort jamais. Seuls les chocolats et les bonbons sortent de cette usine. Ils en sortent par une trappe spéciale, emballés et étiquetés, et des camions postaux viennent les chercher tous les jours.

– Mais, grand-papa, qui sont ces gens qui travaillent là-dedans ?

– Mon garçon, dit grand-papa Joe, c'est là un des grands mystères du monde chocolatier. Quant à nous autres, nous n'en savons qu'une chose. Ils sont très petits. Les vagues silhouettes qui apparaissent quelquefois derrière les vitres, surtout la nuit quand les lampes sont allumées, ce sont des silhouettes de personnages très petits, pas plus gros qu'un poing…

– Des gens comme ça, ça n'existe pas, dit Charlie.

À cet instant, Mr Bucket, le père de Charlie, entra dans la pièce. Il rentrait de sa fabrique de dentifrice en brandissant, l'air plutôt excité, le journal du soir.

– Connaissez-vous la dernière nouvelle ? cria-t-il.

Il déploya le journal, et ils virent le gros titre. Ce titre disait :

LA CHOCOLATERIE WONKA
OUVRIRA SES PORTES
À QUELQUES ÉLUS

5
Les tickets d'or

– Tu veux dire que le public aura accès à la chocolaterie ? cria grand-papa Joe. Lis-nous cet article… vite !

– Bien, dit Mr Bucket en passant la main sur le journal. Écoutez.

JOURNAL DU SOIR

MR WILLY WONKA,
LE CONFISEUR DE GÉNIE QUE PERSONNE
N'A VU PENDANT LES DIX DERNIÈRES ANNÉES,
FAIT CONNAÎTRE L'AVIS SUIVANT :

Je, soussigné Willy Wonka, ai décidé de permettre à cinq enfants – cinq et pas plus, retenez-le bien – de visiter ma chocolaterie cette année. Ces cinq élus feront le tour de l'établissement, pilotés par moi-même, et seront initiés à tous ses secrets, à toute sa magie. Puis, en fin de tournée, tous auront droit à un cadeau spécial : il

leur sera fait don d'une quantité de chocolats et de bon-
bons qui devra suffire jusqu'à la fin de leurs jours !
Enfants, cherchez bien vos tickets d'or ! Cinq tickets
d'or ont été imprimés sur papier doré, et ces cinq tickets
d'or sont cachés dans le papier d'emballage ordinaire de
cinq tablettes ordinaires de chocolat. Ces cinq tablettes
seront en vente n'importe où – dans n'importe quelle
boutique de n'importe quelle rue, dans n'importe quelle
ville de n'importe quel pays du monde – partout où sont
vendues les confiseries Wonka. Et les cinq heureux
gagnants de ces cinq tickets d'or seront les seuls à pou-
voir visiter ma chocolaterie, eux seuls verront comment
elle se présente maintenant à l'intérieur !

Bonne chance à tous et bon courage !

Willy Wonka.

– Il est fou ! grommela grand-maman Joséphine.
– C'est un génie ! s'écria grand-papa Joe. C'est un
magicien ! Pensez à ce qui va arriver maintenant !
Le monde entier fera la chasse aux tickets d'or !
Tout le monde achètera les tablettes de chocolat
Wonka, dans l'espoir d'en trouver un ! Il en vendra
plus que jamais ! Oh ! comme ce serait passionnant
de trouver un ticket d'or !
– Et tous ces chocolats, tous ces bonbons qu'on
pourrait manger pour le reste de nos jours – gra-
tuitement ! dit grand-papa Georges. Imaginez un
peu !

– Il devra les livrer à domicile, en camion ! dit grand-maman Georgina.

– Rien que d'y penser, j'ai mal au cœur, dit grand-maman Joséphine.

– Sottises ! cria grand-papa Joe. Qu'est-ce que tu dirais, Charlie, si tu trouvais un ticket d'or dans une tablette de chocolat ? Un ticket d'or tout brillant ?

– Ce serait épatant, grand-papa. Mais c'est sans espoir, dit tristement Charlie. On ne m'en offre qu'une par an.

– Sait-on jamais, mon chéri, dit grand-maman Georgina. La semaine prochaine, c'est ton anniversaire. Tu as autant de chances que les autres.

– J'ai bien peur que ce ne soit pas vrai, dit grand-papa Georges. Les gosses qui trouveront les tickets d'or seront de ceux qui peuvent s'offrir des tablettes de chocolat tous les jours. Notre Charlie n'en a qu'une par an. C'est sans espoir.

... souffle de joie et d'émotion.

6
Les deux premiers gagnants

Pas plus tard que le lendemain, le premier ticket d'or fut trouvé. Trouvé par un petit garçon nommé Augustus Gloop. Le journal du soir de Mr Bucket publiait une importante photo de lui en première page. Cette photo représentait un garçon de neuf ans, si gros et si gras qu'il avait l'air gonflé par une pompe extrapuissante. Tout flasque et tout en bourrelets de graisse. Avec une figure comme une monstrueuse boule de pâte, et des yeux perçants comme des raisins secs, scrutant le monde avec malveillance. La ville où habitait Augustus Gloop, disait le journal, fêtait son héros, folle de joie et d'émotion. Des drapeaux flottaient à toutes les fenêtres, les enfants n'allaient pas en classe, et une parade allait être organisée en l'honneur du glorieux jeune homme.

– Je savais bien qu'Augustus trouverait un ticket d'or, avait confié sa mère aux journalistes. Il mange tant de tablettes de chocolat par jour qu'il aurait été presque impossible qu'il n'en trouve pas. Manger, c'est son dada, que voulez-vous ? C'est tout ce qui l'intéresse. Après tout, ça vaut mieux que d'être un voyou et de passer son temps à tirer des coups de pistolet, n'est-ce pas ? Tout ce que je peux vous dire, c'est qu'il ne mangerait certainement pas autant si son organisme ne le réclamait pas, qu'en pensez-vous ? Il lui faut des vitamines, à ce petit. Comme ce sera émouvant pour lui de visiter la merveilleuse chocolaterie Wonka ! Nous sommes très fiers de lui !

– Quelle femme révoltante, dit grand-maman Joséphine.

– Et quel petit garçon répugnant, dit grand-maman Georgina.

– Plus que quatre tickets d'or, dit grand-papa Georges. Je me demande qui les trouvera.

À présent, dans tout le pays, que dis-je, dans le monde entier, c'était la ruée vers les tablettes de chocolat. Tout le monde cherchait avec frénésie les précieux tickets qui restaient à trouver. On voyait des femmes adultes entrer dans des boutiques de confiserie pour acheter dix tablettes de chocolat Wonka à la fois. Puis elles déchiraient le papier comme des folles et l'examinaient, avides d'apercevoir un éclair de papier doré. Les enfants cassaient leurs tirelires à coups de marteau puis, les mains pleines de monnaie, ils se précipitaient dans les magasins. Dans une ville, un fameux gangster cambriola une banque afin d'acheter, le jour même, pour cinq mille livres de tablettes de chocolat. Et lorsque la police vint l'arrêter, elle le trouva assis par terre, parmi des montagnes de chocolat, en train de fendre l'emballage avec la lame de son surin. Dans la lointaine Russie, une femme nommée Charlotte Russe prétendit avoir trouvé le second ticket, mais on devait apprendre aussitôt que ce n'était qu'un astucieux trucage. En Angleterre, un illustre savant, le professeur Foulbody, inventa une machine capable de dire, sans déchirer le papier, s'il y avait, oui ou non, un ticket d'or dans une tablette de chocolat. Cette machine avait un bras mécanique qui sortait avec une force infernale pour saisir sur-le-champ tout ce qui contenait le moindre gramme d'or. Pendant un moment, on crut y voir une solution. Mais, par malheur, alors que le professeur présentait sa machine au public, au rayon chocolat d'un grand magasin, le bras mécanique sortit et arracha le plombage d'or de la molaire d'une duchesse qui se trouvait là par hasard. Il y eut une très vilaine scène, et la machine fut mise en pièces par la foule.

Soudain, la veille de l'anniversaire de Charlie, les journaux annoncèrent que le deuxième ticket venait d'être trouvé. L'heureuse gagnante était une petite fille nommée Veruca Salt, qui vivait avec ses parents dans une grande ville lointaine. Une nouvelle fois, le journal de Mr Bucket publiait une photo en première page. La gagnante y était assise entre ses parents radieux dans la salle de séjour de leur maison, brandissant le ticket au-dessus de sa tête, le visage fendu d'une oreille à l'autre par un large sourire.

Le père de Veruca, Mr Salt, expliqua avec empressement aux journalistes comment le ticket avait été trouvé.

– Voyez-vous, mes amis, quand ma petite fille m'a dit qu'il lui fallait un ticket d'or à tout prix, j'ai couru en ville pour acheter tout le stock de tablettes de chocolat. Des milliers de tablettes, je crois. Des centaines de milliers ! Puis je les ai fait charger sur des camions pour les envoyer directement à ma *propre* usine. Pour ne rien vous cacher, je suis dans les cacahuètes, et j'ai à mon service une centaine d'ouvrières. Elles décortiquent les cacahuètes qui sont ensuite grillées et salées. Toute la journée, elles décortiquent les cacahuètes. Alors je leur ai dit : « Eh bien, les filles, désormais, au lieu de décortiquer des cacahuètes, vous dépouillerez ces petites barres de chocolat de rien du tout ! » Et elles se sont mises au travail. Du matin au soir, fidèles au poste, elles retiraient le papier de ces tablettes de chocolat.

« Trois jours ont passé ainsi, mais toujours rien, pas de chance. Oh ! c'était terrible ! Ma petite Veruca se désolait de plus en plus, et chaque fois que je rentrais à la maison, elle me recevait avec des cris : "Où est mon ticket d'or ? Je veux mon ticket d'or !" Et elle se roulait par terre, en gigotant et en hurlant de façon extrêmement gênante. Eh bien, monsieur, je ne pouvais plus voir souffrir ainsi ma petite fille, c'est pourquoi j'ai juré de poursuivre mes recherches jusqu'au moment où je pourrais lui apporter ce qu'elle désirait. Puis soudain… vers la fin du quatrième jour, une de mes ouvrières s'est écriée : "Tiens ! Un ticket d'or !" Et j'ai dit : "Donnez-le-moi, vite !" Et elle me l'a donné, et je me suis précipité à la maison pour le remettre à ma petite

Veruca chérie, et maintenant elle est tout sourires, et la maison a retrouvé son calme.

– Elle est encore pire que le gros garçon, dit grand-maman Joséphine.

– Elle mérite une bonne fessée, dit grand-maman Georgina.

– Je trouve que le père de la petite fille n'a pas joué franc jeu, qu'en penses-tu, grand-papa ? murmura Charlie.

– Il la gâte trop, dit grand-papa Joe. Et, crois-moi, Charlie, c'est toujours dangereux de trop gâter les enfants.

– Viens dormir, mon chéri, dit la mère de Charlie. Demain c'est ton anniversaire, ne l'oublie pas. Je suppose que tu seras levé de bonne heure pour ouvrir ton cadeau.

– Une tablette de chocolat Wonka ! s'écria Charlie. C'est une tablette Wonka, n'est-ce pas ?

– Oui, mon chéri, dit la mère. Naturellement.

– Oh ! Ne serait-ce pas magnifique si j'y trouvais le troisième ticket d'or ? dit Charlie.

– Apporte-la quand tu l'auras, dit grand-papa Joe. Comme ça, nous assisterons tous au déballage.

7
L'anniversaire de Charlie

— Bon anniversaire ! s'écrièrent les quatre vieux grands-parents lorsque, le lendemain, de bonne heure, Charlie entra dans leur chambre.

Il sourit nerveusement et s'assit à leur chevet. Entre ses mains, il tenait avec précaution son cadeau, son seul cadeau. Sur le papier d'emballage, on lisait :

SUPER-DÉLICE WONKA
À LA GUIMAUVE

Les quatre vieux, deux à chaque bout du lit, se soulevèrent sur leurs oreillers et regardèrent, les yeux pleins d'anxiété, la tablette dans les mains de Charlie.

Le silence se fit dans la chambre. Tout le monde attendait l'instant où il se mettrait à déballer son cadeau. Charlie, lui, gardait les yeux baissés sur son chocolat. Lentement, il y promenait les doigts, caressant amoureusement le papier brillant qui émettait, dans le silence de la chambre, de petits bruissements secs.

Puis Mrs Bucket dit doucement :

— Ne sois pas trop déçu, mon chéri, si tu ne trouves pas ce que tu cherches dans ce papier. Tu ne peux pas t'attendre à tant de chance.

— Elle a raison, dit Mr Bucket.

Charlie, lui, ne dit rien.

— Après tout, dit grand-maman Joséphine, il ne reste que trois tickets à trouver dans le monde entier.

— Et n'oublie pas que, quoi qu'il arrive, il te reste toujours ton chocolat, dit grand-maman Georgina.

— Du super-délice fondant Wonka à la guimauve ! s'écria grand-papa Georges. C'est ce qu'il y a de mieux ! Tu te régaleras !

— Oui, souffla Charlie. Je sais.

— Tu n'as qu'à oublier cette histoire de tickets d'or. Vas-y, goûte ta tablette, dit grand-papa Joe. Qu'est-ce que tu attends ?

Ils savaient tous combien il aurait été ridicule de s'attendre à ce que cette pauvre petite tablette recelât un ticket magique, c'est pourquoi ils s'efforçaient, avec beaucoup de douceur et de gentillesse, de prévenir la déception qui attendait Charlie. Mais ce n'était pas tout. Car les grandes personnes savaient aussi que la chance, fût-elle infime, était là. La chance devait bien y être. Cette tablette-là avait autant de chances que n'importe quelle autre de contenir un ticket d'or.

Et c'est pourquoi tous les grands-parents et parents qui se trouvaient dans la chambre étaient tout aussi émus, tout aussi crispés que Charlie, malgré leurs efforts pour paraître très calmes.

– Vas-y, ouvre-la, tu arriveras en retard à l'école, dit grand-papa Joe.

– Vas-y, jette-toi à l'eau, dit grand-papa Georges.

– Ouvre-la, mon petit, dit grand-maman Georgina. Ouvre-la, veux-tu ? Tu me rends nerveuse.

Très lentement, les doigts de Charlie se mirent à manipuler un coin de l'emballage.

Les vieux, dans leur lit, se penchèrent en avant en tendant leurs cous décharnés.

Puis, soudain, n'en pouvant plus, Charlie fendit d'un seul coup le papier, au milieu... et il vit tomber sur ses genoux… une petite tablette de chocolat au lait marron clair.

Pas le moindre ticket d'or.

– Eh bien… voilà ! dit joyeusement grand-papa Joe. C'est exactement ce qu'on attendait.

Charlie leva la tête. Quatre bons vieux visages le regardaient avec attention. Il leur fit un sourire, un petit sourire triste, puis il haussa les épaules, ramassa sa tablette de chocolat, la présenta à sa mère :

– Tiens, maman, prends-en un peu. Nous allons partager. Je veux que tout le monde en mange.

– Pas question ! dit la mère.

Et tous les autres crièrent :

– Non, non ! Jamais de la vie ! Il est à toi seul !

– *S'il vous plaît*, supplia Charlie.

Il se retourna et présenta le chocolat à grand-papa Joe. Mais ni lui ni personne n'en voulait.

– Va, mon chéri, dit Mrs Bucket en entourant de son bras les épaules maigres de Charlie. Va en classe, tu vas être en retard.

8
Deux autres
tickets d'or trouvés

Ce soir-là, le journal de Mr Bucket annonçait la découverte non seulement du troisième, mais aussi du quatrième ticket d'or. DEUX TICKETS D'OR TROUVÉS AUJOURD'HUI, disaient en énormes caractères les manchettes. IL N'EN RESTE PLUS QU'UN.

– Parfait, dit grand-papa Joe lorsque toute la famille était réunie dans la chambre des vieux, après le dîner, voyons qui les a trouvés.

– Le troisième ticket, lut Mr Bucket en approchant le journal de ses yeux parce que sa vue était mauvaise et qu'il n'avait pas les moyens de s'offrir des lunettes, le troisième ticket a été trouvé par une demoiselle Violette Beauregard. L'agitation battait son plein chez les Beauregard lorsque notre envoyé arriva pour interviewer l'heureuse jeune personne – sous les déclics des appareils photo et dans la fumée des flashes, les gens se bousculaient et se poussaient du coude, dans l'espoir d'approcher la glorieuse fillette. Quant à la glorieuse fillette, elle se tenait debout sur une chaise de la salle de séjour, en brandissant éperdument le ticket d'or, comme pour arrêter un taxi. Elle parlait très vite et très fort à tout le monde, mais on avait du mal à la comprendre car, tout en parlant, elle mâchait du chewing-gum avec férocité.

« – D'habitude, je mâche du chewing-gum, hurla-t-elle, mais quand j'ai entendu parler de ces tickets Wonka, j'ai quitté la gomme pour le chocolat, dans l'espoir d'un coup de veine. Maintenant, bien sûr, je reviens à mon cher chewing-gum. Il faut bien que je vous dise que je l'adore. Je ne peux pas vivre sans chewing-gum. J'en mâche à longueur de journée, sauf au moment des repas. Alors je le sors et je le colle derrière mon oreille pour ne pas le perdre… Pour vous dire la stricte vérité, je ne me sentirais pas bien dans ma peau si je ne pouvais pas mâcher toute la journée mon petit bout de chewing-gum, vraiment. Ma mère dit que ça fait mal élevé et que ce n'est pas beau à voir, les mâchoires d'une petite fille qui remuent tout le temps, mais moi, je ne suis pas d'accord. Et de quel droit me critique-t-elle puisque, si vous voulez tout savoir, elle remue les mâchoires presque autant que moi, à force de me gronder toutes les trois minutes.

« – Voyons, Violette, dit Mrs Beauregard, du haut du piano où elle s'était réfugiée pour n'être pas écrasée par la foule.

« – Bon, bon, maman, ne t'emballe pas ! hurla Miss Beauregard. Et maintenant, poursuivit-elle en se tournant de nouveau vers les journalistes, vous serez peut-être intéressés par le fait que le chewing-gum que je suis en train de mâcher, je le travaille ferme depuis trois mois. C'est un record, puisque je vous le dis. J'ai battu le record que détenait jusque-là ma meilleure amie, Miss Cornelia Prinzmetel. Elle était furieuse. Maintenant, ce morceau de gomme, c'est ce que je possède de plus précieux. La nuit, je le colle à une colonne de mon lit, et le matin, il est tout aussi bon – un peu dur au départ, mais il s'attendrit vite sous mes dents. Avant de m'entraîner pour les championnats du monde, je changeais de chewing-gum tous les jours. J'en changeais dans l'ascenseur, ou dans la rue, en rentrant de l'école. Pourquoi l'ascenseur ? Parce que j'aimais bien coller le morceau que je venais de finir à l'un des boutons qu'on presse pour monter. Comme ça, la personne suivante qui appuyait sur le bouton se collait mon vieux chewing-gum au bout du doigt. Ha ! ha ! C'est fou ce qu'ils faisaient comme boucan, les gens. Les plus drôles étaient les bonnes femmes, avec leurs gants qui coûtent cher. Oh ! oui, ça me plaira drôlement de visiter l'usine de Mr Wonka. Pourvu qu'il me donne du chewing-gum pour le reste de mes jours ! Youpi ! Hourra !

— Quelle sale gosse ! dit grand-maman Joséphine.

— Abominable ! dit grand-maman Georgina. Elle finira mal si elle continue à mastiquer toute la journée, vous allez voir.

— Et qui a trouvé le quatrième ticket, papa ? demanda Charlie.

— Voyons un peu, dit Mr Bucket en reprenant le journal. Ah ! oui, j'y suis. Le quatrième ticket d'or, lut-il, a été trouvé par un garçon nommé Mike Teavee.

— Encore un mauvais garnement, je parie, grommela grand-maman Joséphine.

— Ne l'interrompez pas, grand-mère, dit Mrs Bucket.

— La maison des Teavee, poursuivit Mr Bucket, était bondée, tout comme les autres, de visiteurs fort agités, lors de l'arrivée de notre reporter, mais le jeune Mike Teavee, l'heureux gagnant, semblait extrêmement ennuyé par toute cette affaire. « Espèces d'idiots, ne voyez-vous pas que je suis en train de regarder la télévision ? dit-il d'une voix courroucée, je ne veux pas qu'on me dérange ! »

« Le garçon qui est âgé de neuf ans était installé devant un énorme poste de télévision, les yeux collés à l'écran. Il regardait un film où une bande de gangsters tirait à coups de mitraillette sur une autre bande de gangsters. Mike Teavee lui-même n'avait pas moins de dix-huit pistolets d'enfant de toutes les tailles accrochés à des ceinturons tout autour de son corps et, toutes les cinq minutes, il sautait en l'air pour tirer une demi-douzaine de coups avec une de ses nombreuses armes.

« – Silence ! hurlait-il chaque fois que quelqu'un tentait de lui poser une question. Ne vous ai-je pas dit de ne pas me déranger ! Ce spectacle est d'une violence ! Il est formidable ! Je le regarde tous les jours. Je les regarde tous, tous les jours, même les plus miteux, où il n'y a pas de bagarre. Je préfère les gangsters. Ils sont formidables, les gangsters ! Surtout quand ils y vont de leurs pruneaux, ou de leurs stylets, ou de leurs coups de poing américains ! Oh ! nom d'une pipe, qu'est-ce que je ne donnerais pas pour être à leur place ! Ça, c'est une vie ! Formidable, quoi !

– C'est assez ! dit sèchement grand-maman Joséphine. Je suis écœurée !

– Moi aussi, dit grand-maman Georgina. Est-ce que tous les enfants se conduisent comme ça, de nos jours... comme ces moutards dont parle le journal ?

– Bien sûr que non, dit Mr Bucket en souriant à la vieille dame. Il y en a, cela est vrai. Il y en a même beaucoup. Mais pas *tous*.

– Et voilà qu'il ne reste *plus qu'un ticket* ! dit grand-papa Georges.

– En effet, dit grand-mère Georgina en reniflant. Et, aussi sûr que je mangerai de la soupe aux choux demain soir, ce ticket ira encore à une vilaine petite brute qui ne le mérite pas !

9
Grand-papa Joe tente sa chance

Le lendemain, lorsque Charlie revint de l'école et entra dans la chambre de ses grands-parents, il ne trouva que grand-papa Joe réveillé. Les trois autres ronflaient bruyamment.

– Chut ! dit tout bas grand-papa Joe, et il lui fit signe de venir plus près.

Charlie traversa la pièce sur la pointe des pieds et s'arrêta près du lit. Le vieil homme lui fit un sourire malicieux puis, d'une main, il se mit à farfouiller sous l'oreiller ; et lorsque la main reparut, elle tenait entre les doigts une vieille bourse de cuir. Tout en la cachant sous le drap, le vieil homme ouvrit la bourse et la retourna. Il en tomba une pièce d'argent.

– C'est mon magot, chuchota-t-il. Les autres n'en savent rien. Et maintenant, toi et moi, nous allons essayer une nouvelle fois de trouver le dernier ticket. Qu'en penses-tu ? Mais il faudra que tu m'aides.

– Es-tu sûr d'avoir envie d'y laisser tes économies, grand-papa ? chuchota Charlie.

– Tout à fait sûr ! lança le vieillard avec passion. Pas la peine de discuter ! J'ai une envie folle de trouver ce ticket, comme toi, exactement ! Tiens, prends cet argent, cours à la première boutique et achète la première tablette de chocolat Wonka que tu vois, puis reviens et nous l'ouvrirons ensemble.

Charlie prit la petite pièce d'argent et quitta rapidement la chambre. Au bout de cinq minutes, il était de retour.

– Ça y est ? chuchota grand-papa Joe, les yeux brillants d'excitation.

Charlie acquiesça et lui montra le chocolat. SURPRISE CROUSTILLANTE WONKA AUX NOISETTES, disait l'emballage.

– Bien ! dit le vieillard. Il se souleva dans son lit et se frotta les mains. Maintenant, viens t'asseoir près de moi et nous allons l'ouvrir ensemble. Es-tu prêt ?

– Oui, dit Charlie. Je suis prêt.

– Bon. Commence à le défaire.

– Non, dit Charlie, c'est toi qui l'as payé. C'est à toi de l'ouvrir.

Les doigts du vieil homme tremblaient épouvantablement tandis qu'il maniait avec maladresse la tablette de chocolat.

– C'est sans espoir, vraiment, chuchota-t-il avec un petit rire nerveux. Tu sais que c'est sans espoir, n'est-ce pas ?

– Oui, dit Charlie. Je le sais.

Ils échangèrent un regard. Puis tous deux se mirent à rire nerveusement.

– Remarque, dit grand-papa Joe, il y a quand même une toute petite chance que ce soit le bon, tu es bien d'accord ?

– Oui, dit Charlie. Bien sûr. Pourquoi ne l'ouvres-tu pas, grand-papa ?

– Chaque chose en son temps, mon garçon, chaque chose en son temps. Par quel bout dois-je commencer ? Qu'en penses-tu ?

– Celui-là. Celui qui est plus près de toi. Ne déchire qu'un tout petit bout. Comme ça on ne verra encore rien.

– Comme ça ? dit le vieillard.

– Oui. Maintenant, un tout petit peu plus.

– Finis, dit grand-papa Joe. Je suis trop énervé.

– Non, grand-papa. C'est à toi de finir.

– Très bien. J'y vais.

Il arracha l'emballage. Tous deux ouvrirent de grands yeux.

Ce qu'ils virent était une tablette de chocolat. Rien de plus.

Soudain, tous deux prirent conscience de ce que la chose avait de comique, et ils éclatèrent de rire.

– Que diable faites-vous là ? s'écria grand-maman Joséphine, réveillée subitement.

– Rien, dit grand-papa Joe. Rien, allez, dors.

10
La famille commence à mourir de faim

Pendant les quinze jours suivants, il allait faire très froid. D'abord la neige se mit à tomber. Comme ça, tout d'un coup, un matin, au moment même où Charlie Bucket s'habillait pour aller en classe. Par la fenêtre, il vit les gros flocons qui tournoyaient lentement dans un ciel glacial et livide.

Le soir, une couche d'un mètre couvrait les alentours de la petite maison et Mr Bucket dut dégager un passage de la porte jusqu'à la route.

Après la neige, ce fut le gel, le vent glacé. Il souffla pendant des jours et des jours, sans cesse. Oh ! quel froid épouvantable ! Tout ce que touchait Charlie était comme de la glace et, dès qu'il passait la porte, il sentait le vent qui lui tailladait les joues, comme une lame de couteau.

Même à l'intérieur de la maison, on n'était pas à l'abri des bouffées d'air glacé qui entraient par toutes les fentes des portes et des fenêtres. Pas un coin douillet ! Les quatre vieux se pelotonnaient en silence dans leur lit, tentant de préserver leurs vieux os du froid impitoyable. L'agitation qu'avaient provoquée les tickets d'or était oubliée depuis longtemps. La famille n'avait que deux problèmes, deux problèmes capitaux : se chauffer et manger à sa faim.

Car le grand froid, ça vous donne une faim de loup. On se surprend alors en train de rêver éperdument de riches ragoûts tout fumants, de tartes aux pommes chaudes et de toutes sortes de plats délicieusement réchauffants ; et, sans même nous en rendre compte, quelle chance nous avons : nous obtenons généralement ce que nous désirons… ou presque. Mais Charlie Bucket, lui, ne pouvait pas s'attendre à voir se réaliser ses rêves, car sa famille était bien trop pauvre pour lui offrir quoi que ce soit et, à mesure que persistait le froid, sa faim de loup grandissait désespérément. Des deux tablettes de chocolat, celle de son anniversaire et celle que lui avait payée grand-papa Joe, il ne restait plus rien depuis longtemps. Il n'avait plus droit qu'à trois maigres repas par jour, repas où dominaient les choux.

Puis, tout à coup, ces repas devinrent encore plus maigres.

Et cela pour la simple raison que la fabrique de dentifrice qui employait Mr Bucket, ayant fait faillite, dut fermer ses portes. Mr Bucket se mit aussitôt à la recherche d'un autre emploi. Mais la chance n'était pas avec lui. À la fin, pour gagner quelques sous, il dut accepter de pelleter la neige dans les rues. Mais il gagnait bien trop peu pour acheter le quart de la nourriture nécessaire à sept personnes. La situation devint désespérée. Le petit déjeuner se réduisait maintenant à un morceau de pain par personne, le déjeuner à une demi-pomme de terre bouillie.

Lentement mais sûrement, toute la maisonnée commençait à mourir de faim.

Et tous les jours, en avançant péniblement dans la neige sur le chemin de l'école, le petit Charlie Bucket devait passer devant la gigantesque chocolaterie de Mr Willy Wonka. Et tous les jours, à l'approche de la chocolaterie, il levait haut son petit nez pointu pour respirer la merveilleuse odeur sucrée de chocolat fondu. Parfois, il s'arrêtait devant la porte pendant plusieurs minutes pour respirer longuement, profondément, comme s'il tentait de se *nourrir* de ce délicieux parfum.

– Cet enfant, dit grand-papa Joe, par un matin glacial, en sortant la tête de dessous la couverture, cet enfant *doit* manger à sa faim. Nous autres, ce n'est pas pareil. Nous sommes vieux, c'est sans importance. Mais un garçon en *pleine croissance* ! Ça ne peut pas continuer ! Il ressemble de plus en plus à un squelette !

– Qu'est-ce qu'on peut faire ? murmura d'une voix plaintive grand-maman Joséphine. Il ne veut pas que nous nous privions pour lui. Ce matin, je l'ai bien entendu, sa mère a tenté vainement de lui abandonner son morceau de pain. Il n'y a pas touché. Elle a dû le reprendre.

– C'est un bon petit, dit grand-papa Georges. Il mériterait mieux.

Le froid impitoyable n'en finissait pas.

Et le pauvre petit Charlie Bucket maigrissait de jour en jour. Sa petite figure devenait de plus en plus blanche, de plus en plus pincée. Il avait la peau visiblement collée aux pommettes. On se demandait si cela pouvait encore durer longtemps sans que Charlie tombe gravement malade.

Et puis, tout doucement, avec cette curieuse sagesse qui semble venir si souvent aux enfants, face à de rudes épreuves, il se mit à changer çà et là quelque chose à ses habitudes, histoire d'économiser ses forces. Le matin, il quittait la maison dix minutes plus tôt. Ainsi il pouvait marcher à pas lents, sans jamais avoir besoin de courir. Pendant la récréation, il restait tranquille en classe, tandis que les autres se précipitaient au-dehors pour se rouler dans la neige, pour faire des boules de neige. Tous ses gestes étaient devenus lents et pondérés, comme pour prévenir la fatigue.

Puis un soir, en rentrant de l'école, bravant le vent glacial, se sentant plus affamé que jamais, il vit soudain un éclat argenté briller dans le caniveau enneigé. Charlie fit quelques pas vers le bord du

trottoir et se pencha pour examiner l'objet à moitié couvert de neige.

Mais soudain, il comprit de quoi il s'agissait.

Une pièce de cinquante pence !

Il regarda furtivement autour de lui.

Quelqu'un venait-il de la laisser tomber ?

Non… c'était impossible, vu la façon dont elle était enfoncée dans la neige.

Plusieurs personnes passèrent, pressées, le menton emmitouflé. Leurs pas grinçaient sur la neige.

Personne ne cherchait de l'argent par terre, personne ne se souciait du petit garçon accroupi dans le caniveau.

Elle était donc à lui, cette pièce ?

Pouvait-il la ramasser ?

Doucement, Charlie la retira de la neige. Elle était humide et sale mais, à part cela, en parfait état.

Cinquante pence !

La pièce était là, entre ses doigts crispés. Impossible de la quitter des yeux. Impossible de ne pas penser à une chose, une seule : MANGER !

Machinalement, Charlie revint sur ses pas pour se diriger vers la boutique la plus proche. Elle n'était qu'à dix pas... c'était une de ces librairies-papeteries où on trouve un peu de tout, y compris des confiseries et des cigares...

« Et voilà », se dit-il à voix basse...

Il se payerait une succulente tablette de chocolat, et il la mangerait tout entière, jusqu'au dernier carré... puis il rentrerait vite à la maison pour donner la monnaie à sa mère.

11
Le miracle

Charlie entra dans la boutique et posa la pièce humide sur le comptoir.

– Un super-délice fondant Wonka à la guimauve, dit-il, en se rappelant combien il avait aimé le chocolat de son anniversaire.

L'homme derrière le comptoir paraissait gras et bien nourri. Il avait des lèvres épaisses, des joues rebondies et un cou énorme dont le bourrelet débordait sur le col de la chemise, on aurait dit un anneau de caoutchouc. Il tourna le dos à Charlie pour chercher la tablette de chocolat, puis il se retourna et la lui tendit. Charlie s'en empara, déchira rapidement le papier et prit un énorme morceau. Puis un autre… et encore un autre… Oh ! quelle joie de pouvoir croquer à belles dents quelque chose de bien sucré, de ferme, de consistant ! Quel plaisir d'avoir la bouche pleine de cette riche et solide nourriture !

– Tu en avais bien envie, pas vrai, fiston, dit le marchand en souriant.

Charlie inclina la tête, la bouche pleine de chocolat. Le marchand posa la monnaie sur le comptoir.

– Doucement, dit-il, si tu avales tout sans mastiquer, tu auras mal au ventre.

Charlie continua à dévorer son chocolat. Impossible de s'arrêter. Et en moins d'une demi-minute, il avait tout englouti. Bien qu'à bout de souffle, il se sentit merveilleusement, extraordinairement heureux. Il étendit la main pour prendre sa monnaie. Puis il hésita en voyant les petites pièces d'argent sur le comptoir. Il y en avait neuf, toutes pareilles. Ce ne serait sûrement pas grave s'il en dépensait une de plus…

– Je pense, dit-il d'une petite voix tranquille, je pense que… que je vais prendre encore une autre tablette. La même, s'il vous plaît.

– Pourquoi pas ? dit le gros marchand.

Et il prit derrière lui, sur le rayon, une autre tablette de super-délice fondant Wonka à la guimauve. Il la posa sur le comptoir. Charlie la saisit et déchira le papier… et *soudain*… dessous le papier… s'échappa un brillant éclair d'or.

Le cœur de Charlie s'arrêta net.

– Un ticket d'or ! hurla le boutiquier en sautant en l'air. Tu as trouvé un ticket d'or ! Le dernier ticket d'or ! Hé, les gens ! Venez voir, tous ! Ce gosse a trouvé le dernier ticket d'or Wonka ! Le voici ! Il l'a entre les mains !

On aurait dit que le marchand allait avoir une crise.

– Et c'est arrivé dans mon magasin ! hurla-t-il. C'est ici, dans ma petite boutique, qu'il l'a trouvé ! Vite, appelez les journaux, apprenez-leur la nouvelle ! Attention, fiston ! Ne le déchire pas ! C'est un bien précieux !

Au bout de quelques secondes, il y avait autour de Charlie un attroupement d'une vingtaine de personnes, et d'autres encore accouraient de la rue. Tout le monde voulait voir le ticket d'or et l'heureux gagnant.

– Où est-il ? cria quelqu'un. Tiens-le en l'air pour que nous puissions tous le voir !

– Le voilà ! cria une autre voix. Il l'a en main ! Voyez comme ça brille !

– Je voudrais bien savoir comment il a fait pour

le trouver ! cria d'une voix maussade un grand garçon. Moi qui ai acheté vingt tablettes par jour, pendant des semaines et des semaines !

– Et tout ce chocolat qu'il va pouvoir s'envoyer ! dit jalousement un autre garçon. Il en aura pour la vie !

– Il en a bien besoin, ce petit gringalet, il n'a que la peau sur les os ! dit en riant une fillette.

Charlie n'avait pas bougé. Il n'avait même pas tiré le ticket d'or de son enveloppe. Muet, immobile, il serrait contre lui sa tablette de chocolat, au milieu des cris, de la bousculade. Il se sentait tout étourdi. Tout étourdi et étrangement léger. Léger comme un ballon qui s'envole dans le ciel. Ses pieds semblaient ne plus toucher le sol. Et quelque part, au fond de sa poitrine, il entendait son cœur qui tambourinait très fort.

Soudain, il sentit une main sur son épaule. Il leva les yeux et vit un homme de haute taille.

– Écoute, dit l'homme tout bas. Je te l'achète. Je te donne cinquante livres. Qu'en penses-tu, hein ? Et je te donnerai aussi une bicyclette toute neuve. D'accord ?

– Vous êtes fou ? hurla une femme qui se tenait à distance égale. Moi, je le lui achète deux cents livres ! Jeune homme, voulez-vous me vendre ce ticket pour *deux cents livres ?*

– Assez ! Ça suffit ! cria le gros boutiquier en se frayant un chemin à travers la cohue. Il prit Charlie par le bras. Laissez ce gosse tranquille, voulez-vous ? Dégagez ! Laissez-le sortir !

Et tout en le conduisant vers la porte, il dit tout bas à Charlie :

– Ne le donne à personne ! Rentre vite chez toi pour ne pas le perdre ! Cours vite et ne t'arrête pas en chemin, compris ?

Charlie inclina la tête.

– Tu sais, dit le gros boutiquier.

Il hésita un instant et sourit à Charlie.

– Quelque chose me dit que ce ticket tombe à pic. Je suis drôlement content pour toi. Bonne chance, fiston.

– Merci, dit Charlie, puis il partit en courant dans la neige.

Et en passant devant la chocolaterie de Mr Willy Wonka, il se retourna, lui fit signe de la main et dit en chantant :

– Nous nous verrons ! À bientôt ! À bientôt !

Encore cinq minutes, et il arriva chez lui.

12
Ce qui était écrit sur le ticket d'or

Charlie passa la porte en coup de vent. Il cria :

– Maman ! Maman ! Maman !

Mrs Bucket était dans la chambre des grands-parents, en train de leur servir la soupe du soir.

– Maman ! hurla Charlie en fonçant sur eux comme un ouragan. Regarde ! Ça y est ! Ça y est ! Regarde ! Le dernier ticket d'or ! Il est à moi ! J'ai trouvé un peu d'argent dans la rue, alors j'ai acheté deux tablettes de chocolat et, dans la seconde, il y avait le ticket d'or, et il y avait plein de gens autour de moi qui voulaient le voir, et le marchand est venu à mon secours, et je suis rentré en courant, et me voici ! C'EST LE CINQUIÈME TICKET D'OR, MAMAN, ET C'EST MOI QUI L'AI TROUVÉ !

Mrs Bucket resta bouche bée, tandis que les quatre grands-parents qui étaient assis dans leur lit, le bol de soupe sur les genoux, laissèrent tous tomber leur cuillère à grand bruit et restèrent pétrifiés.

Alors la chambre fut plongée dans un silence absolu qui dura dix secondes. Personne n'osait parler ni bouger. Ce fut un moment magique. Puis, d'une voix très douce, grand-papa Joe dit :

– Tu te moques de nous, Charlie, n'est-ce pas ? Tu nous racontes ça pour rire ?

– Pas du tout ! cria Charlie.

Il se précipita vers le lit en brandissant le superbe ticket d'or.

Grand-papa Joe se pencha en avant pour le voir de plus près. C'est tout juste si son nez ne touchait pas le ticket. Les autres assistaient à la scène, en attendant le verdict.

Puis, très lentement, le visage éclairé par un large et merveilleux sourire, grand-papa Joe leva la tête et regarda Charlie droit dans les yeux. Ses joues retrouvèrent leurs couleurs, ses yeux grands ouverts brillaient de bonheur et, au milieu de chaque œil, juste au milieu, au noir de la pupille dansait une petite étincelle d'enthousiasme. Puis le vieil homme respira profondément, et soudain, de façon tout à fait imprévue, quelque chose sembla exploser au fond de lui. Il jeta les bras en l'air et cria :

– Youpiiiiiiiiiiiii !

À l'instant même, son long corps maigre quitta le lit, son bol de soupe vola à la figure de grand-maman Joséphine et, dans un bond fantastique, ce gaillard de quatre-vingt-seize ans et demi, qui n'était pas sorti du lit depuis vingt ans, sauta à terre et se livra, en pyjama, à une danse triomphale.

– Youpiiiiiiiii ! cria-t-il. Vive Charlie ! Hip, hip, hip, hourra !

À cet instant, la porte s'ouvrit pour laisser entrer Mr Bucket, visiblement fatigué et mort de froid. Il avait passé la journée à pelleter la neige dans les rues.

– Sapristi ! cria Mr Bucket. Que se passe-t-il ?

Ils le mirent au courant sans attendre.

– Je n'arrive pas à y croire ! dit-il. Ce n'est pas possible.

– Montre-lui le ticket, Charlie, cria grand-papa Joe, qui tournait toujours en rond, comme un derviche, dans son pyjama à rayures. Fais voir à ton père le cinquième et dernier ticket d'or du monde !

– Fais voir, Charlie, dit Mr Bucket.

Il se laissa tomber sur une chaise et tendit la main. Charlie s'avança pour lui présenter le précieux document.

Qu'il était beau, ce ticket d'or ! Fait, à ce qu'il semblait, d'une plaque d'or fin, presque aussi mince qu'une feuille de papier. Une de ses faces portait, imprimée en noir par quelque système astucieux, l'invitation rédigée par Mr Wonka.

– Lis-la à haute voix, dit grand-papa Joe en regagnant son lit. Écoutons tous cette invitation.

Mr Bucket approcha le ticket d'or de ses yeux. Ses mains tremblaient un peu, il était visiblement ému. Après avoir respiré très fort, il s'éclaircit la gorge et dit :

– Bien, je vais vous la lire. Voilà :

Heureux gagnant de ce ticket d'or, Mr Willy Wonka te salue ! Reçois sa chaleureuse poignée de main ! Il t'arrivera des choses étonnantes ! De merveilleuses sur-

prises t'attendent ! Car je t'invite à venir dans ma chocolaterie. Tu seras mon invité pendant toute une journée – toi et tous les autres qui auront eu la chance de trouver mes tickets d'or. Moi, Willy Wonka, je te ferai faire le tour de mon usine, je te montrerai tout ce qu'il y a à voir et ensuite, au moment de nous quitter, une procession de gros camions t'escortera jusque chez toi, et ces camions, je te le promets, seront pleins des plus délicieux comestibles, pour toi et pour toute ta famille, de quoi vous nourrir pendant de nombreuses années. Si, à un moment ou un autre, tes provisions venaient à s'épuiser, il te suffirait de revenir à l'usine et, sur simple présentation de ce ticket d'or, je me ferais un plaisir de regarnir ton garde-manger. De cette manière, tu seras délicieusement ravitaillé jusqu'à la fin de tes jours. Mais je te réserve d'autres surprises tout aussi passionnantes. Des surprises encore plus merveilleuses et plus fantastiques, à toi et à tous mes chers détenteurs de tickets d'or – des surprises mystérieuses et féeriques qui t'enchanteront, qui t'intrigueront, te transporteront, t'étonneront, te stupéfieront outre mesure. Jamais, même dans tes rêves les plus audacieux, tu n'imaginerais de telles aventures ! Tu verras ! Et maintenant, voici mes instructions : le jour que j'ai choisi pour la visite est le 1er du mois de février. Ce matin-là, ce matin-là uniquement, tu te présenteras aux portes de la chocolaterie, à dix heures précises. Tâche d'être à l'heure ! Tu as le droit d'être accompagné d'un ou deux membres de ta famille afin qu'ils *prennent soin de toi et qu'ils t'empêchent de faire des bêtises. Et surtout – n'oublie pas ce ticket car, sans lui, on ne te laissera pas entrer.*

Willy Wonka.

– Le 1er *février* ! s'écria Mrs Bucket. Mais c'est *demain* ! Puisque nous sommes aujourd'hui le dernier jour de janvier !

– Sapristi ! dit Mr Bucket. Je crois que tu as raison !

– De justesse ! s'écria grand-papa Joe. Pas une minute à perdre. Dépêche-toi ! Prépare-toi ! Lave-toi la figure, donne-toi un coup de peigne, décrasse tes mains, brosse-toi les dents, mouche-toi, coupe-toi les ongles, cire tes chaussures, repasse ta chemise et, pour l'amour du ciel, enlève toute cette boue de ton pantalon ! Soigne-toi, mon garçon ! Pense à avoir l'air correct, puisque c'est le plus grand jour de ta vie !

– Ne vous excitez pas trop, grand-père, dit Mrs Bucket. Et ne troublez pas ce pauvre Charlie. Gardons tous notre sang-froid. Premièrement, qui accompagnera Charlie à la chocolaterie ?

– Moi ! hurla grand-papa Joe, sautant une nouvelle fois hors du lit. C'est moi qui l'accompagnerai ! Laissez-moi faire !

Mrs Bucket sourit au vieillard, puis elle se tourna vers son mari :

– Qu'en penses-tu, mon chéri ? Ne serait-ce pas plutôt à toi de l'accompagner ?

– Eh bien… dit Mr Bucket d'une voix hésitante, non… je n'en suis pas si sûr.

– Mais…

– Il n'y a pas de *mais*, ma chère, dit doucement Mr Bucket. Remarque, je serais très heureux d'y aller. Ce serait extrêmement passionnant. Mais d'un autre côté… Je pense que celui qui mérite vraiment d'accompagner Charlie, c'est grand-papa Joe. Il faut croire qu'il s'y connaît mieux que nous. À condition qu'il se sente en forme, naturellement…

– Youpiiiiiii ! hurla grand-papa Joe.

Il attrapa Charlie par les mains pour l'entraîner dans une danse folle.

— Il est en forme, ça ne fait pas de doute, dit en riant Mrs Bucket. Oui... tu as peut-être raison, après tout. C'est peut-être bien grand-papa Joe qui doit l'accompagner. En ce qui me concerne, je ne pourrai certainement pas laisser seuls les trois autres grands-parents pendant toute une journée.

— Alléluia ! hurla grand-papa Joe. Dieu soit loué !

À ce moment, on frappa fort à la porte d'entrée. Mr Bucket alla ouvrir et, l'instant d'après, des essaims de journalistes et de photographes vinrent remplir la maison. Ils avaient déniché le gagnant du cinquième ticket d'or, et maintenant, tous voulaient en parler longuement en première page des journaux du matin. Pendant des heures, la petite maison fut sens dessus dessous. Ce n'est que vers minuit que Mr Bucket parvint enfin à se débarrasser d'eux et que Charlie, lui, put aller se coucher.

13
Le grand jour est là

Le matin du grand jour, il faisait un soleil radieux, mais la terre était toujours couverte de neige et l'air était très froid.

Devant les portes de la chocolaterie Wonka se pressait un monde fou, venu assister à l'entrée des cinq détenteurs de tickets. L'agitation était sans bornes. Il était un peu moins de dix heures. Les gens se bousculaient en hurlant, et des agents de police armés tentaient vainement de les éloigner des portes.

Tout près de l'entrée, formant un petit groupe bien protégé de la foule par la police, se tenaient les cinq fameux enfants, ainsi que les grandes personnes qui les accompagnaient.

On y voyait se dresser le long et maigre grand-papa Joe qui serrait la main du petit Charlie Bucket.

Tous les enfants, à l'exception de Charlie, étaient accompagnés de leurs deux parents, et c'était chose heureuse car, sans cela, c'eût été le désordre complet. Ils étaient si impatients d'entrer que leurs parents devaient les empêcher de force d'escalader la grille.

– Patience ! criaient les pères. Tiens-toi tranquille ! Ce n'est pas encore le moment ! Il n'est pas encore dix heures !

Derrière son dos, Charlie pouvait entendre les cris des gens venus en foule qui se bousculaient et se battaient pour apercevoir les fameux enfants.

– Voici Violette Beauregard ! entendit-il crier quelqu'un. C'est bien elle ! J'ai vu sa photo dans les journaux !

– Tiens ! répondit une autre voix, elle est encore en train de mâcher cet horrible bout de chewing-gum d'il y a trois mois ! Regarde ses mâchoires ! Elles n'arrêtent pas de remuer !

– Qui est cet hippopotame ?

– C'est Augustus Gloop !

– Exact !

– Il est énorme, n'est-ce pas ?

– Fantastique !

– Et qui est le gosse qui a la tête d'un cow-boy peinte sur son blouson ?

– C'est Mike Teavee ! Le maniaque de la télévision !

– Mais il est complètement fou ! Regardez tous ces pistolets qu'il trimbale !

– Moi, c'est Veruca Salt que je voudrais voir ! cria une autre voix dans la foule. Vous savez, la petite fille dont le père a acheté cinq cent mille tablettes de chocolat. Puis il les a données à déballer aux ouvrières de son usine de cacahuètes, jusqu'à ce qu'elles trouvent le ticket d'or ! Il lui offre tout ce qu'elle veut ! Absolument tout ! Elle n'a qu'à se mettre à brailler, et voilà !

– Affreux, n'est-ce pas ?

– Plutôt choquant, dirais-je.

– Laquelle est-ce ?

– Celle-là ! Là, à gauche ! La petite fille au manteau de vison argenté !

– Et lequel est Charlie Bucket ?

– Ce doit être ce petit gringalet, à côté du vieux qui a l'air d'un squelette. Là, tout près, tu vois ?

– Pourquoi n'a-t-il pas de manteau par ce froid ?

– Est-ce que je sais ? Peut-être qu'il n'a pas de quoi.

– Bon sang ! Il doit être gelé !

Charlie, qui avait tout entendu, serra plus fort la main de grand-papa Joe. Le vieil homme regarda Charlie et sourit.

Quelque part, au loin, une cloche d'église se mit à sonner les dix coups.

Très lentement, dans un grincement de gonds rouillés, les grandes portes de fer s'écartèrent.

Soudain, le silence se fit dans la foule. Les enfants cessèrent de s'agiter. Tous les yeux étaient fixés sur les portes.

– *Le voici !* cria quelqu'un. *C'est lui !*

Et c'était bien vrai !

14
Mr Willy Wonka

Mr Wonka se tenait tout seul à l'entrée de la chocolaterie.

Quel extraordinaire petit homme que ce Mr Wonka !

Il était coiffé d'un chapeau haut de forme noir.

Il portait un habit à queue d'un beau velours couleur de prune.

Son pantalon était vert bouteille.

Ses gants étaient gris perle.

Et il tenait à la main une jolie canne à pommeau d'or.

Une petite barbiche noire taillée en pointe – un bouc – ornait son menton. Et ses yeux – ses yeux étaient merveilleusement brillants. Ils semblaient vous lancer sans cesse des regards complices pleins d'étincelles. Tout son visage était, pour ainsi dire, illuminé de gaieté, de bonne humeur.

Et, oh ! comme il avait l'air futé ! Plein d'esprit, de malice et de vivacité !

Il avait de drôles de petits gestes saccadés, sa tête bougeait sans cesse et son regard vif se posait partout, enregistrait tout en un clin d'œil. Tous ses mouvements étaient rapides comme ceux d'un écureuil. Oui, c'était bien ça, il ressemblait à un vieil écureuil vif et malicieux.

Soudain, dans un curieux pas de danse sautillant, il ouvrit largement les bras et sourit aux cinq enfants rassemblés devant la porte. Puis il s'écria :

– Soyez les bienvenus, mes chers petits amis ! Soyez les bienvenus dans ma chocolaterie !

Sa voix était claire et flûtée.

– Voulez-vous avancer un à un, s'il vous plaît ?

dit-il, sans quitter vos parents. Puis vous me présenterez vos tickets d'or en me disant votre nom. Au premier !

Le petit garçon gros et gras s'avança.

– Je suis Augustus Gloop, dit-il.

– Augustus ! s'écria Mr Wonka en lui serrant la main de toutes ses forces. Comme tu as bonne mine, mon garçon ! Très heureux ! Charmé ! Enchanté de t'avoir ici ! Et tu amènes tes parents, comme c'est gentil ! Entrez ! Entrez donc ! C'est cela ! Passez la porte !

Mr Wonka partageait visiblement l'excitation de ses invités.

– Je m'appelle Veruca Salt, dit la petite fille qui venait ensuite.

– Ma petite Veruca, bonjour ! Quel plaisir de te voir ! Quel nom intéressant tu as ! J'ai toujours pensé que c'était celui d'une sorte de verrue qu'on a sur la plante du pied ! Mais je me trompe, n'est-ce pas ? Comme tu es mignonne dans ton joli manteau de vison ! Comme je suis heureux que tu sois venue ! Mon Dieu, quelle délicieuse journée nous allons passer ensemble ! J'espère que tu y prendras plaisir ! J'en suis même tout à fait sûr ! Oui, tout à fait sûr ! Ton père ? Bonjour, Mr Salt ! Bonjour Mrs Salt ! Enchanté de vous connaître ! Oui, le ticket est bien en règle ! Entrez, s'il vous plaît !

Les deux enfants suivants, Violette Beauregard et Mike Teavee, avancèrent, présentèrent leur ticket et faillirent avoir le bras pratiquement arraché par l'énergique poignée de main de Mr Wonka.

Puis, à la fin, une petite voix timide chuchota :

– Charlie Bucket.

– Charlie ! s'exclama Mr Wonka. Tiens, tiens, tiens ! Donc, te voici ! C'est toi, le petit garçon qui n'a trouvé son ticket qu'hier soir, n'est-ce pas ? Oui, oui. J'ai tout lu dans les journaux de ce matin ! Il était temps, mon petit ! Et ça me fait bien plaisir ! Je suis très heureux pour toi ! Et ça, c'est ton grand-père ? Charmé de vous voir, monsieur ! Ravi ! Enchanté ! C'est parfait ! C'est excellent ! Est-ce que tout le monde est entré ? Cinq enfants ? Oui ! Bon ! Maintenant, suivez-moi, s'il vous plaît ! Notre tournée va commencer ! Mais restez ensemble ! Ne vous dispersez pas ! Je n'aimerais perdre aucun de vous, au point où en sont les choses ! Ma foi, non !

Charlie jeta un coup d'œil par-dessus son épaule. Il vit se refermer lentement les grandes portes de fer. Dehors, les gens se bousculaient toujours en hurlant. Charlie les regarda une dernière fois. Puis les portes claquèrent et toute image du monde extérieur s'évanouit.

– Voilà ! s'écria Mr Willy Wonka qui trottait en tête du groupe. Passez cette grande porte rouge, s'il vous plaît ! C'est ça ! Il fait bon ici ! Il faut que je chauffe bien mon usine à cause de mes ouvriers.

Mes ouvriers sont habitués à un climat *extrêmement* chaud ! Ils ne supportent pas le froid ! Ils périraient s'ils sortaient par le temps qu'il fait ! Ils mourraient de froid !

– Mais qui sont ces ouvriers ? demanda Augustus Gloop.

– Chaque chose en son temps, mon garçon ! dit en souriant Mr Wonka. Patience ! Tu finiras par tout savoir ! Êtes-vous tous là ? Bon ! Voulez-vous fermer la porte, s'il vous plaît ? Merci !

Charlie Bucket vit un long couloir qui s'étirait devant lui à perte de vue. Ce corridor était assez large pour laisser passer une voiture. Les murs, peints en rose pâle, recevaient un éclairage doux et agréable.

– Comme c'est joli et douillet ! chuchota Charlie.

– Oui. Et comme ça sent bon ! répondit grand-papa Joe en reniflant longuement.

Les plus merveilleux parfums du monde se rencontraient dans l'air qu'ils respiraient. Un savant mélange de café grillé, et de sucre confit, et de chocolat fondu, et de menthe, et de violette, et de noisette pilée, et de fleur de pommier, et de caramel, et de zeste de citron…

Et de bien plus loin, du fond de la grande usine, s'échappaient des rugissements assourdis, comme si une machine monstrueuse et gigantesque faisait tourner ses mille roues à une vitesse infernale.

– Maintenant, écoutez-moi bien, mes enfants, dit Mr Wonka en élevant la voix pour dominer le bruit, ceci est le corridor principal. Voulez-vous avoir l'amabilité d'accrocher vos manteaux et vos chapeaux à ces portemanteaux que vous voyez là, avant de me suivre. Voilà ! Bien ! Tout le monde est prêt ! Venez ! Allons-y !

Il emprunta le corridor en courant, laissant flotter derrière lui la queue de son habit couleur de prune, et les invités se mirent tous à courir à sa suite.

Cela faisait pas mal de monde, quand on y pense. Neuf adultes et cinq enfants. Quatorze personnes en tout. Vous parlez d'une bousculade ! Et, en tête, la petite silhouette agile de Mr Wonka qui criait :

– Venez ! Dépêchez-vous, s'il vous plaît ! Si vous traînez comme ça, nous ne ferons pas le tour de l'établissement dans la journée !

Bientôt il quitta le corridor principal pour un autre couloir, à peine plus étroit, à sa droite.

Puis il tourna à gauche.

Puis encore à gauche.

Puis à droite.

Puis à gauche.

Puis à droite.

Puis à droite.

Puis à gauche.

Cet endroit ressemblait à une gigantesque garenne, avec des tas de couloirs dans tous les sens.

— Surtout, ne lâche pas ma main, Charlie, souffla grand-papa Joe.

— Avez-vous remarqué comme ils sont en pente, tous ces couloirs ? s'écria Mr Wonka. Nous descendons au sous-sol ! Toutes les salles importantes de mon usine se situent très bas au-dessous du niveau de la terre !

— Pourquoi ça ? demanda quelqu'un.

— Parce qu'il n'y a pas assez de place en haut ! répondit Mr Wonka. Les salles que nous allons visiter sont *immenses* ! Plus vastes que des terrains de football ! Aucun bâtiment au monde n'est assez grand pour les abriter ! Mais là-bas, sous la terre, il y a de la place – il suffit de creuser.

Mr Wonka tourna à droite.

Puis il tourna à gauche.

Puis encore à droite.

Les couloirs s'enfonçaient de plus en plus.

Puis, soudain, Mr Wonka s'arrêta devant une porte de métal brillant. Ses invités se groupèrent autour de lui. Sur la porte, on pouvait lire, en gros caractères :

LA SALLE AU CHOCOLAT

15
La salle au chocolat

– Très importante, cette salle ! cria Mr Wonka.

Il sortit de sa poche un trousseau de clefs et en glissa une dans la serrure de la porte.

– Ceci est le centre nerveux de toute l'usine, le cœur même de l'affaire ! Et comme elle est *belle* ! J'attache beaucoup d'importance à la beauté de mes salles ! Je ne tolère pas la laideur dans une usine ! Et voilà, nous entrons ! Mais soyez prudents, mes petits amis ! Ne perdez pas la tête ! Ne vous excitez pas trop ! Gardez votre sang-froid !

Mr Wonka ouvrit la porte. Les cinq enfants et les neuf adultes entrèrent en se bousculant… pour tomber en arrêt devant tant de merveilles. Oh ! Quel fascinant spectacle !

À leurs pieds s'étalait… une jolie vallée. De chaque côté, il y avait de verts pâturages et tout au fond coulait une grande rivière brune.

Mais on voyait aussi une formidable cascade – une falaise abrupte du haut de laquelle une eau pleine de remous se précipitait dans la rivière, formant un rideau compact, finissant en un tourbillon bouillonnant, écumant de mousse et d'embruns.

Au pied de la cascade (quel étonnant spectacle !), d'énormes tuyaux de verre pendaient par douzaines, un bout trempant dans la rivière, l'autre accroché quelque part au plafond, très haut ! Ils étaient vraiment impressionnants, ces tuyaux. Extrêmement nombreux, ils aspiraient l'eau trouble et brunâtre pour l'emporter Dieu sait où. Et comme ils étaient de verre, on pouvait voir le liquide monter et mousser à l'intérieur, et le bruit bizarre et perpétuel que faisaient les tuyaux en l'aspirant se mêlait au tonnerre de la cascade. Des arbres et des arbustes pleins de grâce poussaient le long de la rivière : des saules pleureurs, des aulnes, du rhododendron touffu à fleurs roses, rouges et mauves. Le gazon était étoilé de milliers de boutons-d'or.

– Voyez ! s'écria Mr Wonka en sautillant.

De sa canne à pommeau d'or, il désigna la grande rivière brune.

– Tout cela, c'est du chocolat ! Chaque goutte de cette rivière est du chocolat fondu, et du meilleur. Du chocolat de première qualité. Du chocolat, rien que du chocolat, de quoi remplir toutes les baignoires du pays ! Et aussi toutes les piscines ! N'est-ce pas magnifique ? Et regardez mes tuyaux ! Ils pompent le chocolat et le conduisent dans toutes les autres salles de l'usine ! Des milliers et des milliers de litres !

Les enfants et leurs parents étaient bien trop ébahis pour pouvoir parler. Ils étaient confondus. Stupéfaits. Ahuris. Éblouis. Ils étaient subjugués par ce spectacle fantastique. Ils étaient là, les yeux ronds, sans dire un mot.

– La cascade est *extrêmement* importante ! poursuivit Mr Wonka. C'est elle qui mélange le chocolat ! Elle le bat ! Elle le fouette ! Elle le dose ! Elle le rend léger et mousseux ! Aucune autre chocolaterie au monde ne mélange son chocolat à la cascade ! Pourtant, c'est la seule façon de le faire convenablement ! La seule ! Et mes arbres, qu'en pensez-vous ? cria-t-il en brandissant sa canne. Et mes jolis arbustes ? Ne sont-ils pas beaux ? Je déteste la laideur, je vous l'ai bien dit ! Et naturellement, tout cela se mange ! Tout est fait d'une matière différente, mais toujours délicieuse ! Et mes pelouses ? Que pensez-vous de mon herbe et de mes boutons-d'or ? L'herbe où vous posez vos pieds, mes chers amis, est faite d'une nouvelle sorte de sucre à la menthe, une de mes dernières inventions ! J'appelle cela du *smucre* ! Goûtez un brin ! Allez-y ! C'est délicieux !

Machinalement, tout le monde se baissa pour cueillir un brin d'herbe – tout le monde, à l'exception d'Augustus Gloop qui en cueillit toute une poignée.

Violette Beauregard, avant de goûter à son brin d'herbe, sortit de sa bouche le chewing-gum destiné à battre le record du monde et le colla soigneusement derrière son oreille.

– C'est merveilleux ! chuchota Charlie. Quel goût exquis, n'est-ce pas, grand-papa ?

– Je mangerais bien tout le gazon ! dit grand-papa Joe avec un large sourire. Je me promènerais à quatre pattes, comme une vache, et je brouterais tous les brins d'herbe !

– Goûtez les boutons-d'or ! cria Mr Wonka. Ils sont encore meilleurs !

Soudain, de grands cris aigus retentirent. Ces cris étaient ceux de Veruca Salt. Elle désignait l'autre rive, en hurlant comme une folle.

– *Regardez !* Regardez, là-bas ! cria-t-elle. Qu'est-ce que c'est ? Ça bouge ! Ça marche ! C'est un petit personnage ! C'est un petit bonhomme ! Là, sous la cascade !

Tout le monde cessa de cueillir des boutons-d'or pour regarder l'autre rive.

– *Elle a raison, grand-papa !* s'écria Charlie. C'est bien un tout petit bonhomme ! Tu le vois ?

– Je le vois, Charlie ! dit, tout ému, grand-papa Joe.

Et tout le monde se mit à pousser des cris.

– Il y en a deux !

– Sapristi ! C'est vrai !

– Plus que ça ! Il y en a un, deux, trois, quatre, cinq !

– Que font-ils ?

– D'où sortent-ils ?

– Qui sont-ils ?

Enfants et parents coururent vers la rivière pour les voir de plus près.

– Fantastiques, n'est-ce pas ?

– Pas plus hauts que trois pommes !

– Tu as vu leurs longs cheveux !

Les minuscules bonshommes – pas plus grands que des poupées de taille moyenne – avaient cessé de vaquer à leurs occupations pour regarder à leur tour les visiteurs rassemblés sur l'autre rive. L'un d'eux montra du doigt les enfants, puis il dit quelque chose, à voix basse, à ses compagnons. Et tous les cinq éclatèrent de rire.

– Impossible ! s'exclama Charlie. Des hommes si petits, ça n'existe pas !

– Bien sûr que si, répondit Willy Wonka. Ce sont des Oompa-Loompas.

16
Les Oompa-Loompas

– Des Oompa-Loompas ? répétèrent en chœur parents et enfants. *Des Oompa-Loompas !*

– Tout droit venus du Loompaland ! expliqua fièrement Mr Wonka.

– Ce pays n'existe pas ! répliqua Mrs Salt.

– Très chère madame, je vous demande pardon, mais…

– Mr Wonka ! le coupa-t-elle. Je suis professeur de géographie…

– Alors vous devez certainement tout savoir sur cette terrible contrée ! Rien d'autre qu'une jungle infestée des bêtes les plus féroces au monde – griffeféroces, bêtabecs ainsi que les cruellement cruelles horribilicornes. Une horribilicorne peut vous dévorer dix Oompa-Loompas d'affilée pour son petit déjeuner et revenir au galop pour se resservir ! Lorsque je suis allé là-bas, j'ai découvert que les Oompa-Loompas vivaient dans des maisons perchées dans les arbres. Ils étaient obligés, les pauvres, pour échapper aux griffeféroces, aux bêtabecs et aux horribilicornes. Ils avaient pour toute nourriture des chenilles vertes. Les chenilles ont un goût horrible, et les Oompa-Loompas passaient leurs journées à grimper au sommet des arbres, en quête de n'importe quoi qui pût améliorer ce goût – des scarabées rouges, par exemple, et des feuilles d'eucalyptus, et de l'écorce de bong-bong, tout cela, bien entendu, était infect, mais moins infect que les chenilles. Pauvres petits Oompa-Loompas ! La nourriture qui leur manquait le plus, c'était le cacao. Impossible d'en trouver. Un Oompa-Loompa devait s'estimer heureux s'il trouvait trois ou quatre graines de cacao par an. Oh ! Comme ils en rêvaient ! Toutes les nuits, ils rêvaient de cacao, et toute la journée, ils en parlaient. Vous n'aviez qu'à prononcer le mot « cacao » devant un Oompa-Loompa pour lui mettre l'eau à la bouche. Les graines de cacao qui poussent sur les cacaotiers sont à la base de toute l'industrie chocolatière, poursuivit Mr Wonka. Sans graines de cacao, pas de chocolat. Le cacao, c'est le chocolat. Moi-même, dans mon usine, j'utilise des billions de graines de cacao par semaine. C'est pourquoi, mes chers enfants, ayant découvert que les Oompa-Loompas étaient particulièrement friands de cette denrée, je grimpai dans leur village arborescent, je passai la tête par la porte de la demeure du chef de la tribu. Le pauvre petit bonhomme, tout maigre et famélique, était là, s'efforçant d'avaler tout un bol de chenilles vertes en purée sans se trouver mal. « Écoute-moi, lui dis-je (pas en anglais, bien sûr, mais en oompa-loompéen), écoute-moi. Si vous veniez tous avec moi, toi et ton petit peuple, dans mon pays, pour vous installer dans ma chocolaterie, vous auriez tous les jours du cacao à gogo ! J'en ai des montagnes dans mes entrepôts ! Vous pourriez en manger à tous les repas ! Vous pourriez vous rouler dans du cacao ! Je vous paierai en graines de cacao si vous le désirez.

« – Tu parles sérieusement ? demanda en bondissant de sa chaise le chef Oompa-Loompa.

« – Bien sûr que je parle sérieusement, lui dis-je. Et vous pourriez aussi manger du chocolat. Le chocolat, c'est encore meilleur que le cacao pur, puisqu'il contient du lait et du sucre.

« Le petit bonhomme poussa un grand cri de joie et envoya promener son bol de chenilles écrasées par la fenêtre de sa maison dans les arbres.

« – Marché conclu ! dit-il. Allons-y !

« Et je les ai tous amenés, en bateau, tous les hommes, toutes les femmes et tous les enfants de la tribu Oompa-Loompa. C'était chose facile. Je n'ai eu qu'à les cacher dans de grandes caisses pourvues de trous d'aération. Et tous sont arrivés sains et saufs. Ce sont de merveilleux ouvriers. Maintenant, ils parlent tous anglais. Ils adorent la danse et la musique. Ils improvisent toujours des chansons. Vous allez sûrement les entendre chanter. Mais je dois vous prévenir, ils sont un peu polissons. Ils aiment faire des blagues. Ils s'habillent toujours comme dans la jungle. Ils y tiennent beaucoup. Les hommes, comme vous pouvez le constater vous-mêmes, ne portent que des peaux de daim. Les femmes sont vêtues de feuilles et les enfants ne portent rien du tout. Les femmes changent de feuilles tous les jours...

– Papa ! cria Veruca Salt, la petite fille qui obtenait toujours tout ce qu'elle voulait. Papa ! Je veux un Oompa-Loompa ! Je veux que tu m'achètes un Oompa-Loompa. Je veux un Oompa-Loompa, et tout de suite ! Je veux l'emmener à la maison ! Vas-y, papa ! Achète-moi un Oompa-Loompa !

– Voyons, voyons, mon chou ! lui dit son père, il ne faut pas interrompre Mr Wonka.

102

– *Mais je veux un Oompa-Loompa* ! hurla Veruca.

– Très bien, Veruca, très bien. Mais je ne peux pas te l'avoir tout de suite. Sois patiente. Je m'en occuperai. Tu en auras un ce soir, au plus tard.

– Augustus ! cria Mrs Gloop. Augustus, mon chéri, il ne faut pas faire *ça* !

Augustus Gloop, rien d'étonnant à cela, avait rampé à la sauvette jusqu'à la rivière, et à présent, agenouillé sur la rive, il se remplissait la bouche, aussi vite qu'il pouvait, de chocolat fondu tout chaud.

17
Augustus Gloop
saisi par le tuyau

En voyant ce que faisait Augustus Gloop, Mr Wonka s'écria :

– Oh ! Non ! Je t'en prie, Augustus ! Je te supplie d'arrêter. Aucune main humaine ne doit toucher mon chocolat !

– Augustus ! s'exclama Mrs Gloop. N'as-tu pas entendu ? Laisse cette rivière et reviens immédiatement !

– Fo-o-ormidable, ce jus ! dit Augustus, sans prêter la moindre attention à sa mère ni à Mr Wonka. Mais il me faudrait un gobelet pour le boire comme il faut !

– Augustus, cria Mr Wonka. – Il bondit et agita sa canne –. Il faut revenir. Tu salis mon chocolat !

– Augustus ! cria Mrs Gloop.

– Augustus ! cria Mr Gloop.

Mais Augustus faisait la sourde oreille à tout, excepté à l'appel de son énorme estomac. Il était allongé par terre, la tête en bas, lapant le chocolat comme un chien.

– Augustus ! hurla Mrs Gloop. Tu vas passer ton sale rhume à des millions de gens, aux quatre coins du pays !

– Attention, Augustus ! hurla Mr Gloop. Tu te penches trop en avant !

Mr Gloop avait parfaitement raison. Car soudain on entendit un cri perçant, et puis, plouf ! Augustus Gloop tomba dans la rivière et, au bout d'une seconde, il y disparut englouti par les flots bruns.

– Sauvez-le ! hurla Mrs Gloop en blêmissant. Elle agitait follement son parapluie. Il se noie ! Il ne sait pas nager ! Sauvez-le ! Sauvez-le !

– Tu es folle, ma femme, dit Mr Gloop, je ne vais pas plonger là-dedans ! J'ai mis mon plus beau costume !

Le visage d'Augustus Gloop, tout barbouillé de chocolat, reparut à la surface.

– Au secours ! Au secours ! Au secours ! braillat-il. Repêchez-moi !

– Ne reste pas là sans rien faire ! cria Mrs Gloop en s'adressant à Mr Gloop. Fais quelque chose !

– Je fais quelque chose ! dit Mr Gloop, en ôtant sa veste pour plonger dans la rivière de chocolat.

Mais pendant ce temps, l'un des grands tuyaux qui trempaient dans la rivière aspirait impitoyablement l'infortuné garçon, l'attirant plus près, toujours plus près. Et, tout à coup, la puissante force de succion l'emporta tout à fait, il disparut sous la surface du chocolat, puis dans la gueule béante du tuyau.

Les autres attendaient sur le rivage, le souffle coupé, se demandant par où il sortirait.

– Le voilà qui remonte ! hurla quelqu'un en désignant du doigt le tuyau.

Et c'était bien vrai. Comme le tuyau était de verre, tout le monde pouvait voir Augustus Gloop jaillir vers le haut, la tête la première, comme une torpille.

– Au secours ! À l'assassin ! Police ! hurla Mrs Gloop. Augustus, reviens ! Où vas-tu ?

– Comment se fait-il, dit Mr Gloop, que, gros comme il est, il puisse tenir dans ce tuyau.

– Justement, il est trop étroit, le tuyau ! dit Charlie Bucket. Oh ! Mon Dieu, regardez ! Il ralentit !

– C'est vrai ! dit grand-papa Joe.

– Il va rester coincé ! dit Charlie.

– Je crois que c'est fait ! dit grand-papa Joe.

– Fichtre ! Le voilà coincé ! dit Charlie.

– C'est son ventre qui ne passe pas ! dit Mr Gloop.

– Il a bouché le tuyau ! dit grand-papa Joe.

– Cassez le tuyau ! hurla Mrs Gloop en brandissant toujours son parapluie. Augustus, sors de là !

Les spectateurs purent voir des flots de chocolat gicler autour du garçon prisonnier du tuyau, puis former une masse compacte derrière lui, une masse qui le poussait plus avant. La pression était énorme. Quelque chose devait céder… Et quelque chose céda, et ce quelque chose était Augustus. Et, hop ! Il remonta d'un seul coup, comme une balle dans un canon de fusil.

– Il a disparu ! hurla Mrs Gloop. Où va ce tuyau ? Vite ! Appelez les pompiers !

– Du calme ! cria Mr Wonka. Calmez-vous, chère madame, calmez-vous ! Il n'est pas en danger. Il n'est pas en danger, quoi qu'il arrive ! Augustus va faire un petit voyage, c'est tout. Un petit voyage très intéressant. Mais il s'en tirera très bien, vous allez voir.

– Comment ! Il s'en tirera bien ? suffoqua Mrs Gloop. Dans cinq secondes, il sera réduit en guimauve !

– Impossible ! s'écria Mr Wonka. Impensable ! Inconcevable ! Absurde ! Il ne pourra jamais être réduit en guimauve !

– Et pourquoi pas, puis-je le savoir ? hurla Mrs Gloop.

– Parce que ce tuyau ne conduit pas dans la salle

à guimauve ! répondit Mr Wonka. Même pas à proximité de cette salle ! Ce tuyau – celui par où est monté Augustus –, ce tuyau conduit directement à la salle où je produis la plus délicieuse des nougatines, parfumée à la fraise, enrobée de chocolat...

– Alors il va être changé en nougatine à la fraise enrobée de chocolat ! se lamenta Mrs Gloop. Mon pauvre petit Augustus ! On le vendra au kilo, dès demain, dans tout le pays !

– Exactement, dit Mr Gloop.

– J'en suis sûre, dit Mrs Gloop.

– Ce n'est plus drôle du tout, dit Mr Gloop.

– Ce ne doit pas être l'avis de Mr Wonka ! cria Mrs Gloop. Regardez-le ! Il rit aux éclats ! Comment osez-vous rire alors que mon petit garçon est emporté par le tuyau ! Monstre ! hurla-t-elle en braquant son parapluie sur Mr Wonka comme pour le transpercer. Vous croyez que c'est drôle ? Vous croyez que c'est une bonne grosse plaisanterie que de faire aspirer mon garçon jusque dans votre salle à nougatine ?

– Il sera sain et sauf, dit Mr Wonka, toujours secoué de rire.

– Il sera transformé en nougatine ! hurla Mrs Gloop.

– Jamais de la vie ! cria Mr Wonka.

– Si ! Je le sais ! rugit Mrs Gloop.

– Je ne le permettrai jamais ! cria Mr Wonka.

– Et pourquoi pas ? hurla Mrs Gloop.

– Parce que ce serait indigeste, dit Mr Wonka. Vous voyez un Gloop farci d'Augustus, enrobé de chocolat ? Personne n'en voudrait !

– Tout le monde en voudra ! cria Mr Gloop avec indignation.

– Je ne veux même pas y penser ! hurla Mrs Gloop.

– Moi non plus, dit Mr Wonka. Et je vous garantis, madame, que votre enfant chéri est en parfaite santé.

– S'il est en parfaite santé, je veux savoir où il est ! dit vivement Mrs Gloop. Je veux le voir tout de suite !

Mr Wonka se retourna et claqua trois fois des doigts. Aussitôt, comme par miracle, un Oompa-Loompa surgit et s'arrêta près de lui.

L'Oompa-Loompa s'inclina et sourit, montrant ses belles dents blanches. Il avait la peau rosée, de longs cheveux châtain doré, et le sommet de sa tête arrivait juste au genou de Mr Wonka. Il portait la rituelle peau de daim jetée sur l'épaule.

– Écoute-moi bien ! dit Mr Wonka en se penchant vers le petit bout d'homme. Conduis Mr et Mrs Gloop dans la salle à nougatine. Tu dois les aider à retrouver leur fils, Augustus, que le tuyau vient d'emporter.

L'Oompa-Loompa jeta un coup d'œil sur Mrs Gloop et éclata de rire.

– Oh! tais-toi! dit Mr Wonka. Domine-toi! Fais un effort! Mrs Gloop pense que ce n'est pas drôle du tout!

– Ça, vous pouvez le dire! dit Mrs Gloop.

– Cours à la salle à nougatine, dit Mr Wonka à l'Oompa-Loompa et, une fois arrivé, prends un long bâton et plonge-le dans la grosse barrique à chocolat pour la sonder. Je suis presque sûr que tu l'y trouveras. Mais cherche bien! Et dépêche-toi!

Si tu le laisses trop longtemps dans la barrique à chocolat, on risque de le verser dans la bouilloire à nougatine, et alors ce serait un vrai désastre, n'est-ce pas ? Ma nougatine en deviendrait tout à fait indigeste !

Mrs Gloop poussa un long cri de fureur.

– Je plaisante, dit Mr Wonka en riant dans sa barbe. Je ne parle pas sérieusement. Pardonnez-moi. Je suis navré. Au revoir, Mrs Gloop ! Au revoir, Mr Gloop ! À tout à l'heure…

Dès que Mr et Mrs Gloop et leur petite escorte eurent quitté la salle, les cinq Oompa-Loompas qui se trouvaient sur l'autre rive se mirent à sauter, à danser et à battre comme des fous de minuscules tambours.

– Augustus Gloop ! chantaient-ils. Augustus Gloop ! Augustus Gloop ! Augustus Gloop !

– Grand-papa ! s'écria Charlie. Écoute-les, grand-papa ! Qu'est-ce que c'est ?

– Chut ! fit grand-papa Joe. Je pense qu'ils vont nous chanter une chanson !

Augustus Gloop ! chantèrent
les Oompa-Loompas.
Augustus Gloop ! Augustus Gloop !
Tu l'as bien méritée, ta soupe !
On en a assez de te voir
Qui te remplis le réservoir.
Joufflu, bouffi, gourmand, glouton,

Énorme comme un gros cochon.
Toujours, et désespérément,
Il ennuiera petits et grands.
Normalement, c'est en douceur
Qu'on dompte le marmot frondeur,
On le transforme sur-le-champ
En quelque chose d'amusant ;
En un ballon, un jeu de l'oie,
Un baigneur, un dada en bois.
Mais pour ce gamin révoltant,
Nous procédons tout autrement.
Goulu, ventru, insociable,
Il laisse un goût peu agréable
Dans notre bouche, et c'est pourquoi
Il faut d'abord qu'on le nettoie.
Alors, vivement le tuyau !
Et puis, en route, par monts et vaux !
Et bientôt il fera escale
Dans une bien étrange salle.
Ne craignez rien, mes petits chats,
Augustus ne souffrira pas ;
Pourtant, il faudra bien l'admettre,
Il se transformera peut-être
Une fois passé dans la machine
À fabriquer la nougatine.
Alors que les roues tourneront
Avec leurs dents d'acier, ron, ron,
Et que cent lames feront le reste,
Nous ajoutons un peu de zeste,

Un peu de sucre, un peu de lait,
Pour un résultat plus parfait ;
Une minute de cuisson, au moins,
Pour être tout à fait certains
Que de tous ses vilains symptômes
Il ne reste plus un atome.
Puis, le voilà sorti ! Bon Dieu !
Un vrai miracle aura eu lieu !
Ce gars qui, voilà peu de temps,
Faisait hurler petits et grands,
L'hippopotame, la brute immonde
Va être aimée de tout le monde :
Car qui pourrait faire grise mine
À un morceau de nougatine ?

– Je vous l'avais bien dit, ils adorent chanter !
s'écria Mr Wonka. Ne sont-ils pas délicieux ? Ne
sont-ils pas charmants ? Mais il ne faut pas croire
un mot de ce qu'ils disent. Ils disent n'importe
quoi, pour rire !

– Est-il vrai, grand-papa, que les Oompa-Loompas ne font que plaisanter ? demanda Charlie.

– Bien sûr qu'ils plaisantent, répondit grand-papa
Joe. Ils plaisantent sans aucun doute. Du moins, je
l'espère. Et toi ?

18
En descendant
la rivière de chocolat

– En route ! cria Mr Wonka. En route, tout le monde, dépêchons-nous ! Nous allons visiter la prochaine salle ! Suivez-moi. Et ne vous tourmentez pas pour Augustus Gloop. Il s'en sortira. Ils s'en sortent toujours. Nous poursuivons notre voyage en bateau. Le voilà qui arrive ! Regardez !

Un fin brouillard enveloppa la grande rivière de chocolat chaud et, soudain, il s'en détacha un bateau rose absolument fantastique. C'était un grand bateau à rames, haut devant et derrière, une sorte de drakkar viking des temps anciens, d'un rose si étincelant et si lumineux qu'on eût dit du verre rose. De chaque côté, il avait des tas de rames et, à mesure qu'il approchait, les visiteurs assemblés sur la rive pouvaient voir les rameurs, une foule d'Oompa-Loompas – dix, au moins, par rame.

– C'est mon yacht personnel ! s'écria Mr Wonka, tout rayonnant de plaisir. Je l'ai taillé dans un énorme bloc de fondant ! N'est-il pas beau ? Voyez comme il sillonne la rivière !

L'éblouissant bateau de fondant rose se dirigeait vers le rivage. Une centaine d'Oompa-Loompas, appuyés à leurs rames, levèrent les yeux vers les invités. Puis soudain, pour une raison qu'ils étaient sans doute les seuls à connaître, ils éclatèrent de rire.

– Qu'y a-t-il de si drôle ? demanda Violette Beauregard.

– Oh ! Ne t'en fais pas ! cria Mr Wonka. Ils rient tout le temps ! Ils pensent que tout n'est que plaisanterie ! Sautez tous à bord ! Allons ! Dépêchons-nous !

Dès que tout le monde fut embarqué, les Oompa-Loompas levèrent l'ancre et se mirent à ramer. Le bateau commença à descendre la rivière à toute allure.

– Hé, là-bas ! Mike Teavee ! hurla Mr Wonka. Ne lèche pas le bateau, veux-tu ? Tu vas le rendre poisseux !

– Papa, dit Veruca Salt, je veux un bateau comme celui-ci ! Je veux que tu m'achètes un grand bateau en fondant rose, exactement comme celui de Mr Wonka ! Et je veux des tas d'Oompa-Loompas qui rameront, et je veux une rivière de chocolat et je veux… je veux…

– Elle veut une bonne fessée, dit grand-papa Joe à l'oreille de Charlie.

Tous deux étaient assis à l'arrière du bateau. Charlie serrait très fort la vieille main noueuse de son grand-père. La tête lui tournait, tant il était ému. Tout ce qu'il venait de découvrir – la grande rivière de chocolat, la cascade, les grands tuyaux aspirateurs, les pelouses de confiserie, les Oompa-Loompas, le joli bateau rose, et surtout Mr Wonka lui-même –, tout cela était si étonnant qu'il commença à se demander si d'autres surprises pouvaient encore l'attendre. Où allaient-ils maintenant ? Qu'allaient-ils voir ? Que se passerait-il dans la salle suivante ?

– Merveilleux, n'est-ce pas ? lui dit grand-papa Joe, en souriant.

Charlie lui rendit son sourire.

Soudain, Mr Wonka, qui était assis de l'autre côté de Charlie, prit dans le fond du bateau une grande chope, la plongea dans la rivière pour la remplir de chocolat et la tendit à Charlie.

– Bois, dit-il. Ça te fera du bien ! Tu as l'air mort de faim !

Puis Mr Wonka remplit une autre chope, pour grand-papa Joe.

– Vous aussi, dit-il. Vous avez l'air d'un squelette ! Que se passe-t-il ? N'y avait-il donc rien à manger chez vous, ces derniers temps ?

– Pas grand-chose, dit grand-papa Joe.

Charlie porta la chope à ses lèvres. Le chocolat chaud, riche et onctueux, descendit dans son estomac vide, et il sentit dans tout son corps des picotements de plaisir.

Une impression de bonheur intense l'envahit tout entier.

– C'est bon ? demanda Mr Wonka.

– Oh ! C'est merveilleux ! dit Charlie.

– Je n'ai jamais bu de chocolat aussi délicieux, aussi onctueux ! dit grand-papa Joe en se léchant les lèvres.

– C'est qu'il a été fouetté par la cascade, expliqua Mr Wonka.

Le bateau glissait rapidement sur la rivière qui, elle, devenait de plus en plus étroite. Ils aperçurent devant eux une sorte de tunnel sombre, un grand tunnel rond comme un énorme tuyau – où la rivière pénétrait. Le bateau, lui aussi, allait passer par là !

– Allez, ramez ! hurla Mr Wonka. Il sauta sur ses pieds et agita sa canne. En avant ! Plus vite !

Et tandis que les Oompa-Loompas ramaient plus vite que jamais, le bateau s'engouffra dans le tunnel noir comme la poix, et tous les passagers poussèrent des cris d'épouvante.

– Comment peuvent-ils voir où ils vont ? cria Violette Beauregard, dans l'obscurité.

– Pas moyen de savoir où ils vont ! cria Mr Wonka dans un diabolique éclat de rire.

Pas moyen de vous dire
Où nous porte mon navire,
Sur l'eau noire qui soupire

Sous les rames de mes sbires,
On n'a pas le cœur à rire,
Et si mon bateau chavire,
Dépêchez-vous d'en sourire…

– Il a l'esprit dérangé ! s'écria l'un des pères, consterné, et les autres parents se mirent à hurler en chœur :

– Il est fou !
– Il est cinglé !
– Il est sonné !
– Il est cintré !
– Il est marteau !
– Il est piqué !
– Il est tapé !
– Il est timbré !
– Il est toc-toc !
– Il est maboul !
– Il est dingue !
– Il est cinoque !
– Pas du tout ! dit grand-papa Joe.

– Allumez les lampes ! ordonna Mr Wonka.

Et soudain, tout le tunnel apparut brillamment éclairé, et Charlie constata qu'ils se trouvaient réellement à l'intérieur d'un tube gigantesque dont les parois étaient d'un blanc immaculé. La rivière de chocolat coulait très rapidement et tous les

Oompa-Loompas ramaient comme des fous tandis que le bateau avançait à une vitesse incroyable. À l'arrière du bateau, Mr Wonka encourageait en bondissant les rameurs à ramer plus vite, toujours plus vite. Cette croisière-éclair, en bateau rose, par le tunnel blanc, semblait l'amuser follement. Il battait des mains, il riait, sans jamais quitter des yeux ses passagers afin de voir s'ils s'amusaient autant que lui.

– Regarde, grand-papa ! s'écria Charlie. Il y a une porte dans le mur !

Cette porte qui était verte se trouvait légèrement au-dessus du niveau de la rivière. C'est tout juste s'ils pouvaient déchiffrer en passant ce qui y était écrit :

HALLE DE DÉPÔT N° 54 :
TOUTES LES CRÈMES, CRÈME FRAÎCHE,
CRÈME FOUETTÉE, CRÈME DE VIOLETTE,
CRÈME DE CAFÉ, CRÈME D'ANANAS,
CRÈME DE VANILLE ET CRÈME À RASER.

– Crème à raser ? cria Mike Teavee. Comment ? Vous en mettez dans vos chocolats ?

– En avant ! hurla Mr Wonka. Ce n'est pas le moment de répondre à des questions stupides.

Ils passèrent en flèche devant une porte noire. L'écriteau disait :

HALLE DE DÉPÔT N° 71 :
FOUETS. TOUTES FORMES
ET TOUTES TAILLES.

– Des fouets ! s'étonna Veruca Salt. Qu'en faites-vous ?

– C'est pour fouetter la crème, naturellement, dit Mr Wonka. Comment veux-tu fouetter une crème sans fouet ? Une crème fouettée n'est pas une crème fouettée tant qu'elle n'est pas fouettée avec un fouet. Comme un œuf brouillé n'est pas un œuf brouillé tant qu'il ne s'est pas brouillé avec toute sa famille ! En avant s'il vous plaît !

Ils passèrent devant une porte jaune où on pouvait lire :

HALLE DE DÉPÔT N° 77 :
TOUS LES GRAINS, GRAINS DE CACAO,
GRAINS DE CAFÉ, GRAINS DE MARMELADE
ET GRAINS DE BEAUTÉ.

– Grains de beauté ? s'écria Violette Beauregard.

– Oui, comme celui que tu as sur le nez ! dit Mr Wonka. Ce n'est pas le moment de discuter ! En avant ! Plus vite !

Mais lorsque, au bout de cinq minutes, apparut une porte rouge vif, il leva soudain sa canne à pommeau d'or et cria :

– Arrêtez le bateau !

19
La salle des inventions. Bonbons inusables et caramels à cheveux

Lorsque Mr Wonka cria : « Arrêtez le bateau ! » les Oompa-Loompas enfoncèrent leurs rames dans la rivière et ramèrent furieusement à rebours. Le bateau s'immobilisa.

Les Oompa-Loompas venaient de ranger le bateau devant la porte rouge. Sur cette porte, on pouvait lire :

SALLE DES INVENTIONS
PRIVÉ
ENTRÉE INTERDITE.

Mr Wonka prit une clef dans sa poche, se pencha par-dessus bord et la glissa dans la serrure.

– Ceci est la salle la plus importante de toute mon usine ! dit-il. C'est ici que mijotent mes dernières inventions les plus secrètes ! Que ne donnerait le vieux Fickelgruber s'il pouvait entrer ici, ne fût-ce que pour trois minutes ! Sans parler de Prodnose, de Slugworth et de tous les autres petits chocolatiers miteux ! Et maintenant, écoutez-moi ! Vous ne salirez rien, en entrant ici ! Vous ne toucherez à rien ! Vous ne tripoterez rien ! Vous ne goûterez rien ! Promis ?

– Oui ! Oui ! crièrent les enfants. C'est promis !

– Jusqu'à ce jour, dit Mr Wonka, personne, pas même un Oompa-Loompa, n'a eu le droit d'entrer ici !

Il ouvrit la porte et quitta le bateau pour la salle, suivi des quatre enfants et de leurs parents.

– Ne touchez à rien ! cria Mr Wonka. Et ne renversez rien !

Charlie Bucket parcourut du regard la salle gigantesque. On eût dit une cuisine de sorcière ! Dans tous les coins, il y avait des marmites en métal noir, fumant et bouillonnant sur de grands fourneaux, des bouilloires sifflantes et des poêles à frire ronronnantes, d'étranges machines de fer qui crachotaient et cliquetaient, et des tuyaux qui couraient le long du plafond et des murs, le tout enveloppé de fumée, de vapeurs, de riches et délicieux parfums.

Quant à Mr Wonka, il semblait encore plus vif, plus agité que d'habitude. On voyait bien que c'était là sa salle préférée. Il sautillait au milieu des

casseroles et des machines comme un enfant parmi ses cadeaux de Noël, ne sachant par où commencer. Il souleva le couvercle d'une grande marmite et renifla ; puis il trempa un doigt dans une barrique pour goûter une masse jaune et visqueuse ; puis il alla à grands pas vers l'une des machines et tourna à gauche et à droite une demi-douzaine de boutons ; puis il jeta un long regard inquiet par la portière vitrée d'un gigantesque fourneau, se frotta les mains et rit tout doucement, l'air satisfait. Enfin, il courut vers une autre machine, petite et brillante, qui émettait d'inlassables *Phut – phut – phut – phut*, et à chaque *phut*, il en tombait une grosse bille verte. Du moins, cela ressemblait à des billes.

– Des bonbons acidulés inusables ! s'écria fièrement Mr Wonka. La dernière nouveauté ! Je les ai inventés pour les enfants qui n'ont que très peu d'argent de poche. Prenez un de ces bonbons, et sucez-le, sucez-le, sucez-le, il ne fondra jamais !

– C'est comme du chewing-gum ! s'écria Violette Beauregard.

– Ce n'est pas comme du chewing-gum, dit Mr Wonka. La gomme doit être mâchée, mais tu te casserais les dents si tu voulais mâcher ces bonbons-là. Cependant ils ont un goût fabuleux ! Et ils changent de couleur une fois par semaine ! Et ils ne s'usent jamais ! JAMAIS ! C'est du moins ce que je pense. L'un d'eux est testé, en ce moment même, dans la pièce voisine qui me sert de laboratoire. Un

Oompa-Loompa est en train de le sucer. Cela fait déjà un an qu'il le suce sans arrêt, et le bonbon tient bon !

« Dans ce coin-là, poursuivit Mr Wonka en traversant la salle à pas vifs, dans ce coin, je suis en train d'inventer une toute nouvelle espèce de caramels !

Il s'arrêta près d'une grande casserole, pleine d'une mélasse violâtre, bouillonnante et moussante. Le petit Charlie se hissa sur la pointe des pieds pour mieux la voir.

– C'est du caramel qui fait pousser les cheveux ! cria Mr Wonka. Il suffit d'en avaler une toute petite pincée et, au bout d'une demi-heure exactement, il vous pousse sur toute la tête une superbe crinière ! Et des moustaches ! Et une barbe !

– Une barbe ! s'écria Veruca Salt. Qui peut bien avoir envie d'une barbe ?

– Elle t'irait très bien, dit Mr Wonka, mais, malheureusement, le mélange n'est pas encore au point. Il est trop fort. Il est trop actif. Je l'ai essayé hier sur un Oompa-Loompa, dans mon laboratoire, et aussitôt, une grande barbe noire lui a poussé, et elle a poussé si vite que bientôt le sol était couvert de tout un tapis barbu. Elle poussait si vite qu'elle résistait aux ciseaux, impossible de la couper ! À la fin, nous avons dû nous servir d'une tondeuse à gazon pour en venir à bout ! Mais bientôt, mon mélange sera prêt à l'usage ! Et alors, plus d'excuse pour les petits garçons et les petites filles qui se promènent le crâne chauve !

– Mais, Mr Wonka, dit Mike Teavee, les petits garçons et les petites filles ne se promènent jamais le…

– Ne discutons pas, mon petit, ne discutons pas ! cria Mr Wonka. Nous n'avons pas une minute à perdre ! Maintenant, si vous voulez vous donner la peine de me suivre, je vais vous montrer quelque chose dont je suis terriblement fier. Oh ! Prenez garde ! Ne renversez rien ! Reculez !

20
La grande machine à chewing-gum

Mr Wonka conduisit le groupe à une gigantesque machine qui se dressait au centre même de la salle des inventions. Une montagne de métal luisant, dominant de très haut les enfants et leurs parents. Tout en haut, elle portait quelques centaines de fins tubes de verre, et tous ces tubes étaient courbés vers le bas, formant un bouquet suspendu au-dessus d'un énorme récipient, aussi grand qu'une baignoire.

– Et voilà ! cria Mr Wonka.

Puis il pressa sur trois boutons différents sur le côté de la machine. Au bout d'une seconde, on entendit un effroyable grondement. Toute la machine était secouée de façon inquiétante, dégageant de la fumée de toutes parts, et soudain, les spectateurs virent couler du liquide dans tous les petits tubes de verre, en direction de la grande cuve. Et dans chacun des petits tubes, le liquide était d'une couleur différente, si bien que toutes les couleurs de l'arc-en-ciel (et bien d'autres encore) se rencontraient dans un formidable éclaboussement. C'était un très joli spectacle. Et lorsque la cuve fut presque pleine, Mr Wonka appuya sur un autre bouton et, aussitôt, le liquide cessa de couler à l'intérieur des tubes, le grondement se tut pour faire place à un mélange de bourdonnements et de sifflements, puis un tourniquet géant se mit à virevolter dans l'énorme cuve, fouettant les liquides multicolores comme un *ice-cream-soda*. Petit à petit, le mélange se mit à mousser. La mousse se fit de plus en plus abondante, virant du bleu au blanc, du vert au brun, puis du jaune au noir pour redevenir bleue à la fin.

– Attention ! dit Mr Wonka.

Il y eut un déclic et le tourniquet s'arrêta. Alors on entendit une sorte de bruit de succion et, très rapidement, tout le mélange bleu et mousseux de la grande cuve fut aspiré jusque dans le ventre de la machine. Après un bref silence, il y eut quelques grondements bizarres. Puis ce fut encore le silence. Et soudain, la machine poussa une plainte monstrueuse et, au même instant, un minuscule tiroir (pas plus grand que celui d'un distributeur automatique) sortit brusquement du côté de la machine, et dans ce tiroir, il y avait quelque chose de si petit, de si plat, de si gris que tout le monde crut à une erreur. On aurait dit un petit bout de carton gris.

Les enfants et leurs parents ouvrirent de grands yeux sur ce petit bout de carton gris blotti dans le tiroir.

– C'est tout ? dit Mike Teavee, l'air déçu.

– C'est tout, répondit, plein de fierté, Mr Wonka. Tu ne sais donc pas ce que c'est ?

Il y eut un silence. Puis soudain, Violette Beauregard, mâcheuse de gomme chevronnée, poussa un long cri hystérique.

– Mais c'est du chewing-gum ! hurla-t-elle. C'est une tablette de chewing-gum !

– Exact ! s'écria Mr Wonka. Il donna une tape dans le dos de Violette. C'est une tablette de chewing-gum. Et ce chewing-gum est le plus étonnant, le plus fabuleux, le plus sensationnel du monde !

21
Adieu, Violette !

– Ce chewing-gum, poursuivit Mr Wonka, est la dernière, la plus importante, la plus fascinante de mes inventions ! C'est un vrai repas ! C'est… c'est… c'est… ce minuscule morceau de chewing-gum que vous voyez là est à lui seul un véritable dîner composé de trois plats !

– Que racontez-vous là ? C'est insensé ! dit l'un des pères.

– Cher monsieur ! s'écria Mr Wonka, ce chewing-gum, une fois mis en vente dans les boutiques, changera la face du monde ! Ce sera la fin des plats cuisinés ! Plus de marché à faire ! Plus de boucheries, plus d'épiceries ! Plus de couteaux, plus de fourchettes ! Plus d'assiettes ! Plus de vaisselle à laver ! Plus de détritus ! Plus de pagaille ! Rien qu'une petite tablette magique de chewing-gum Wonka ! Elle remplacera votre petit déjeuner, votre déjeuner, votre souper ! Ce morceau de chewing-gum que vous voyez là représente justement une soupe à la tomate, un rosbif et une tarte aux myrtilles. Mais le choix est grand ! Vous trouverez presque tout ce qui vous plaira !

– Soupe à la tomate, rosbif, tarte aux myrtilles ? Que voulez-vous dire par là ? demanda Violette Beauregard.

– Il suffit de mâcher ce chewing-gum, dit Mr Wonka, pour avoir exactement l'impression de manger les plats de ce menu. C'est absolument stupéfiant ! Vous croyez avaler réellement votre nourriture, vous la sentez qui descend jusque dans votre estomac ! Et vous mangez avec appétit ! Et après, vous avez le ventre plein ! Vous mangez à votre faim ! C'est formidable !

– C'est tout à fait impossible, dit Veruca Salt.

– Du moment que c'est du chewing-gum, hurla Violette Beauregard, du chewing-gum qui se mâche, ça m'intéresse !

Cela dit, elle recracha son bout de chewing-gum voué à tous les records du monde et se le colla derrière l'oreille gauche.

– À nous deux, Mr Wonka, dit-elle, passez-moi votre fameux chewing-gum magique et nous verrons bien ce que ça donne !

– Voyons, Violette, dit Mrs Beauregard, sa mère, tu vas encore faire des bêtises !

– Il me faut du chewing-gum ! s'entêta Violette. Ce n'est pas une bêtise.

– Il vaudrait mieux que tu ne le prennes pas, dit

avec douceur Mr Wonka. Vois-tu, il n'est pas encore tout à fait au point. Il y a encore quelques détails…

—Cause toujours ! dit Violette.

Et soudain, avant même que Mr Wonka pût intervenir, elle étendit une main potelée, sortit le chewing-gum de son tiroir et le fourra dans sa bouche. Et aussitôt, ses larges mâchoires bien entraînées se mirent à travailler comme une paire de tenailles.

—Arrête ! dit Mr Wonka.

—Fabuleux ! hurla Violette. Du tonnerre, cette soupe à la tomate ! Chaude, épaisse, délicieuse ! Et ça descend !

—Arrête ! répéta Mr Wonka. Ce chewing-gum n'est pas prêt ! Il n'est pas au point !

—Mais si, mais si ! dit Violette. Il fonctionne à merveille ! Oh ! mon Dieu ! Quelle bonne soupe !

—Recrache-la ! dit Mr Wonka.

—Ça change ! hurla Violette, tout en mastiquant, avec un large sourire. Voici le second plat ! Du rosbif ! Oh ! Comme il est tendre et succulent ! Et ces patates ! Elles ont la peau croustillante puis, à l'intérieur, il y a du beurre !

—Comme c'est in-té-res-sant, Violette, dit Mrs Beauregard. Tu es une fille sensée, vraiment.

—Vas-y, ma fille ! dit Mr Beauregard. Continue, mon lapin ! C'est un grand jour pour les Beauregard ! Notre petite fille est la première au monde à manger un repas chewing-gum !

Tous les regards étaient fixés sur Violette Beauregard, en train de mâcher ce chewing-gum extraordinaire. Le petit Charlie était comme hypnotisé par le spectacle de ses lèvres épaisses et mobiles qui s'ouvraient et se refermaient. À ses côtés, grand-papa Joe paraissait également fasciné. Mr Wonka, lui, se tordait les mains en répétant:

—Non, non, non, non, non! Cette invention n'est pas prête! Elle n'est pas au point! Tu n'aurais pas dû!

—Et voici la tarte aux myrtilles à la crème! hurla Violette. Ça y est! Oh! C'est tout à fait ça! C'est épatant! C'est… c'est tout à fait comme si je l'avalais! Comme si j'avalais de bonnes cuillerées de la plus merveilleuse tarte aux myrtilles du monde!

—Ciel! Ma fille! s'écria soudain Mrs Beauregard, les yeux posés sur Violette, qu'est-ce qui arrive à ton nez!

—Oh! Tais-toi, mère, et laisse-moi finir! dit Violette.

—Il vire au bleu! hurla Mrs Beauregard. Ton nez devient bleu comme une myrtille!

—Ta mère a raison! hurla à son tour Mr Beauregard. Tu as le nez tout violet!

—Que voulez-vous dire? demanda Violette sans cesser de mastiquer.

—Tes joues! hurla Mrs Beauregard. Elles virent au bleu aussi! Et ton menton! Toute ta figure est bleue!

– Recrache immédiatement ce chewing-gum ! ordonna Mr Beauregard.

– Pitié ! Au secours ! hurla Mrs Beauregard. Ma fille est en train de devenir toute bleue et mauve ! Même ses cheveux changent de couleur ! Violette ! Te voilà violette ! Qu'est-ce qu'il t'arrive ?

– Je t'avais bien dit que ce n'était pas au point, soupira Mr Wonka en secouant tristement la tête.

– Ça, vous pouvez le dire ! cria Mrs Beauregard. Ma pauvre fille ! Voyez ce qu'elle est devenue !

Tous les yeux étaient fixés sur Violette. Quel terrible et singulier spectacle ! Son visage, ses mains, ses jambes et son cou, en fait, toute sa peau, sans oublier sa chevelure bouclée, tout était d'un bleu-violet éclatant, exactement comme du jus de myrtille !

– Ça se gâte *toujours* au dessert, soupira Mr Wonka. C'est la faute de cette tarte aux myrtilles. Mais un jour, j'y arriverai, vous verrez !

– Violette ! hurla Mrs Beauregard, te voilà qui grossis !

– Je ne me sens pas bien, dit Violette.

– Tu gonfles ! hurla Mrs Beauregard.

– Je me sens bizarre ! suffoqua Violette.

– Ça ne m'étonne pas ! dit Mr Beauregard.

– Ciel ! hurla Mrs Beauregard. Tu gonfles comme un ballon, ma fille !

– Comme une myrtille, rectifia Mr Wonka.

– Vite, un médecin ! cria Mr Beauregard.

– Piquez-la avec une épingle ! dit l'un des pères.

– Sauvez-la ! pleurait Mrs Beauregard en se tordant les mains.

Mais il n'y avait pas moyen de la sauver pour l'instant. Son corps s'arrondissait toujours, changeant d'aspect avec une rapidité telle qu'au bout d'une minute il fut transformé en une énorme boule bleue – une gigantesque myrtille. Tout ce qui restait de Violette elle-même était une minuscule paire de jambes et une minuscule paire de bras plantés dans le gros fruit rond, et une toute petite tête posée au sommet.

– C'est *toujours* la même chose, soupira Mr Wonka. Je l'ai essayé vingt fois dans mon laboratoire, sur vingt Oompa-Loompas, et tous les vingt ont fini par être changés en myrtilles. C'est très ennuyeux. Je n'y comprends vraiment rien.

– Mais je ne veux pas de myrtille pour fille ! hurla Mrs Beauregard. Réparez-la-moi vite, pour qu'elle soit comme avant !

Mr Wonka claqua des doigts, et dix Oompa-Loompas apparurent aussitôt à ses côtés.

– Roulez Miss Beauregard dans le bateau, leur dit-il, et conduisez-la vite à la salle aux jus de fruits.

– La *salle aux jus de fruits* ? s'écria Mrs Beauregard. Qu'est-ce qu'ils vont lui faire, là-bas ?

– La presser, dit Mr Wonka. Il faut qu'elle perde immédiatement tout son jus. Après, nous verrons bien. Mais ne vous tourmentez pas, chère madame. Nous vous la réparerons, quoi qu'il arrive. Je suis navré, vraiment…

Déjà les dix Oompa-Loompas roulaient l'énorme myrtille à travers la salle des inventions, vers la porte qui s'ouvrait sur la rivière de chocolat où les attendait le bateau. Mr et Mrs Beauregard les suivirent en courant. Ce qui restait du groupe, y compris Charlie Bucket et grand-papa Joe, demeura immobile en les regardant s'éloigner.

– Écoute ! chuchota Charlie. Écoute, grand-papa ! Les Oompa-Loompas se remettent à chanter !

Les voix, une centaine de voix chantant en chœur, leur parvenaient distinctement depuis le bateau :

Chers amis, il faut bien savoir
Que rien n'est moins joli à voir
Qu'un petit monstre dégoûtant
Mâchant du chewing-gum tout le temps.
(C'est presque aussi mal, avouez,
Que de mettre les doigts dans le nez.)
On vous le dit, et c'est bien vrai :
Le chewing-gum ne paie jamais ;
Cette habitude déplorable
Appelle une fin bien lamentable.
Connaissez-vous la triste histoire
De Miss Pipenoire ?
La redoutable mijaurée
Mastiquait toute la journée.

Elle mastiquait, soir et matin,
À l'église, au bal, dans son bain,
Dans l'autobus, dans l'ascenseur,
Vraiment, ça vous soulevait le cœur !
Et, ayant perdu son chewing-gum,
Elle mâchait du linoléum,
Tout ce qui était à sa hauteur,
Des gants, l'oreille du facteur,
Le jupon bleu de sa belle-sœur,
Et même le nez de son danseur.
Elle mâchait, mâchait sans répit.
Sa mâchoire s'en ressentit
Et l'envergure de son menton
Fut celle d'une boîte à violon.
Ainsi passèrent les années :
Cinquante paquets par journée !
Jusqu'à ce fameux soir d'été
Où ce grand drame est arrivé.
Après avoir lu dans son lit,
Tout en mâchant à très grand bruit,
Elle déposa à son chevet
Son morceau de chewing-gum mâché,
Juste à côté de son réveil,
Puis elle sombra dans le sommeil
Mais, malgré tout, dans la nuit noire,
Toujours s'agitaient ses mâchoires.
Comme elle n'avait rien sous la dent
Ce fut d'autant plus trépidant,
Elle était si bien entraînée

Qu'elle ne pouvait plus s'arrêter.
Ça faisait tic-tac dans le noir
Avec un vrai bruit de battoir
Sa bouche, telle une porte cochère
S'ouvrait dans un bruit de tonnerre.
Enfin, sa mâchoire géante
Bâilla – et demeura béante,
Béante pour un bon moment,
Puis se referma violemment
Et, sous le couperet hideux,
Elle eut la langue coupée en deux !
Muette pour le reste de ses jours
Elle fit un très long séjour
À l'affreux sanatorium.
Tout cela à cause du chewing-gum !
C'est pour cela que, sans retard,
Faut empêcher Miss Beauregard
De souffrir le même martyre.
Il faut lui éviter le pire
Comme elle est jeune, l'espoir est grand
Qu'elle survivra à son traitement.

22
Le long du corridor

– Et voilà, soupira Mr Willy Wonka. Deux méchants enfants nous quittent. Restent trois enfants sages. Je pense qu'il vaudrait mieux sortir d'ici le plus vite possible, avant de perdre encore quelqu'un !

– Mais, Mr Wonka, dit anxieusement Charlie Bucket, est-ce que Violette Beauregard redeviendra comme avant, ou bien sera-t-elle toujours une myrtille ?

– Ils ne tarderont pas à lui faire perdre tout son jus ! déclara Mr Wonka. Ils vont la rouler jusque dans le pressoir, et elle en ressortira mince comme un fil !

– Mais sera-t-elle toujours bleue partout ? demanda Charlie.

– Elle sera *violette* ! proclama Mr Wonka. D'un beau violet profond, de la tête aux pieds ! Mais c'est bien fait ! C'est ce qui arrive quand on mâche ce machin répugnant à longueur de journée !

– Si vous trouvez le chewing-gum répugnant, dit Mike Teavee, pourquoi en fabriquez-vous ?

– Parle distinctement, dit Mr Wonka. Je ne comprends pas un mot de ce que tu dis. En route ! Allons-y ! Dépêchons-nous ! Suivez-moi ! Nous allons repasser par les corridors !

Cela dit, Mr Wonka traversa en courant la salle des inventions pour ouvrir une petite porte secrète, dissimulée par des tas de tuyaux et de fourneaux, suivi des trois enfants – Veruca Salt, Mike Teavee et Charlie Bucket – et des cinq adultes qui restaient en course.

Charlie Bucket reconnut l'un de ces longs couloirs roses coupés de beaucoup d'autres couloirs roses. Mr Wonka galopait en tête, tournant à gauche et à droite, à droite et à gauche, et grand-papa Joe dit :

– Serre bien ma main, Charlie. Ce ne doit pas être drôle de se perdre ici.

Mr Wonka, lui, disait :

– Plus de temps à perdre ! À ce train-là, nous n'arriverons plus nulle part !

Et il filait par d'interminables couloirs roses, avec son chapeau haut de forme noir et son habit couleur de prune dont la queue flottait derrière lui comme un drapeau au vent.

Ils passèrent devant une porte.

– Pas le temps d'entrer ! cria Mr Wonka. Allons ! Pressons !

Ils passèrent devant une autre porte, puis une autre et encore une autre. Il y en avait une à peu près tous les vingt pas, et chacune portait un écriteau. D'étranges bruits métalliques en sortaient, des parfums délicieux filtraient par les trous de serrure, et quelquefois, de petits jets de vapeur colorés s'échappaient par les fentes.

Grand-papa Joe et Charlie devaient courir vite pour maintenir l'allure, mais ils parvenaient néanmoins à lire quelques inscriptions en passant. OREILLERS MANGEABLES EN PÂTE DE GUIMAUVE, disait l'une d'elles.

– Formidables, les oreillers de guimauve ! s'écria Mr Wonka sans ralentir. Ils feront sensation quand je les aurai mis en vente ! Mais nous n'avons pas le temps d'entrer ! Pas le temps !

PAPIER PEINT QUI SE LÈCHE POUR CHAMBRES D'ENFANTS, disait l'écriteau suivant.

– Charmant, ce papier qui se lèche ! cria Mr Wonka, toujours pressé. Des fruits y sont peints : des bananes, des pommes, des oranges, des raisins, des ananas, des fraises et des flageoises...

– Des flageoises ? demanda Mike Teavee.

– Ne me coupe pas la parole ! dit Mr Wonka. Tous ces fruits figurent sur le papier, et il suffit de lécher une banane pour avoir un goût de banane. Léchez une fraise, et vous obtenez un goût de fraise. Et si vous léchez une flageoise, ça donnera exactement le goût d'une flageoise...

– Mais ça a quel goût, une flageoise ?

– Tu manges encore tes mots, dit Mr Wonka. Parle plus fort, la prochaine fois. Allons ! Dépêchons-nous !

CRÈMES GLACÉES CHAUDES POUR LES JOURS DE GRAND FROID, disait l'inscription suivante.

– *Extrêmement* utiles en hiver, dit Mr Wonka en passant. Les glaces chaudes sont étonnamment réchauffantes quand il gèle. Je produis aussi des glaçons chauds pour boissons chaudes. Les glaçons chauds rendent les boissons chaudes encore plus chaudes.

Vaches donnant du lait chocolaté, lisait-on sur la porte suivante.

– Ah ! Mes jolies petites vaches ! Comme je les aime, mes vaches ! s'écria Mr Wonka.

– Pourquoi ne pouvons-nous pas les voir ? demanda Veruca Salt. Pourquoi faut-il passer si vite devant toutes ces jolies salles ?

– Nous nous arrêterons au bon moment ! s'écria Mr Wonka. Ne sois pas si impatiente !

Boissons gazeuses aérodynamiques, disait l'écriteau suivant.

– Oh ! celles-là sont fabuleuses ! cria Mr Wonka. Elles vous remplissent de bulles, de bulles pleines d'un gaz spécial, et ce gaz est si incroyablement léger qu'il vous décolle du sol comme un ballon, et vous vous envolez au plafond – pour y rester.

– Mais qu'est-ce qu'on fait pour redescendre ? demanda le petit Charlie.

– Il faut roter, naturellement, dit Mr Wonka. Vous rotez de toutes vos forces, et alors le gaz remonte et vous redescendez ! Mais n'en buvez pas en plein air ! On ne sait jamais jusqu'où ça peut monter ! J'en ai fait boire une fois à un vieil Oompa-Loompa, dehors, dans la cour, et il est monté, monté, monté ! À la fin, il a disparu dans le ciel ! C'était très triste. Je ne l'ai plus jamais revu.

– Il aurait dû roter, dit Charlie.

– Bien sûr qu'il aurait dû roter, dit Mr Wonka. J'étais là, en train de lui crier : « Rote, espèce d'âne, rote, sans cela, tu ne redescendras plus ! » Mais il n'a pas roté, il n'a pas pu, ou il n'a pas voulu, je ne sais trop. Il était peut-être trop poli. Il doit être dans la lune maintenant.

Sur la porte suivante, on pouvait lire : BONBONS CARRÉS QUI ONT L'AIR D'ÊTRE RONDS.

– Attendez ! cria Mr Wonka en s'arrêtant soudain. Je suis très fier de mes bonbons carrés qui ont l'air d'être ronds. Allons les voir !

23

Les bonbons carrés qui ont l'air d'être ronds

Tout le monde s'arrêta devant la porte dont le haut était de verre. Grand-papa Joe souleva Charlie pour lui permettre de voir l'intérieur de la salle. Charlie y vit une longue table et, sur cette table, des rangées et des rangées de petits bonbons blancs en forme de cubes. Ces bonbons ressemblaient beaucoup à des morceaux de sucre – mais chacun d'eux avait sur l'une de ses six faces une drôle de petite figure peinte en rose. À l'autre bout de la table, quelques Oompa-Loompas s'appliquaient à peindre d'autres figures sur d'autres bonbons.

– Voilà ! cria Mr Wonka. Les bonbons carrés à l'aspect rond !

– Je ne les vois pas ronds, dit Mike Teavee.

– Ils ont l'air carrés, dit Veruca Salt. Complètement carrés.

– Mais ils *sont* carrés, dit Mr Wonka. Je n'ai jamais dit le contraire.

– Vous disiez qu'ils étaient ronds ! dit Veruca Salt.

– Je n'ai jamais dit ça, dit Mr Wonka. J'ai dit qu'ils *avaient l'air* d'être ronds.

– Mais ils n'ont pas l'air d'être ronds ! dit Veruca Salt. Ils ont l'air carrés !

– Ils ont l'air ronds, insista Mr Wonka.

– Ils n'ont pas l'air ronds du tout, c'est sûr ! cria Veruca Salt.

– Veruca chérie, dit Mrs Salt, ne fais pas attention à ce que raconte Mr Wonka ! Il te ment !

– Pauvre vieille toupie, dit Mr Wonka, tu peux causer !

– Comment osez-vous me parler sur ce ton ? hurla Mrs Salt.

– Silence ! dit Mr Wonka. Et regardez bien !

Il sortit une clef de sa poche et ouvrit la porte. La porte bâilla… et soudain… au son du bâillement de la porte, les innombrables petits bonbons carrés qui s'entassaient sur la table ouvrirent des yeux ronds en tournant leurs petits visages vers la porte, le regard fixé sur Mr Wonka.

– Et voilà ! cria-t-il triomphalement. Ils ont l'air d'être ronds. C'est indiscutable ! Ce sont des bonbons carrés qui ont l'air ronds !

– Sapristi ! Il a raison ! dit grand-papa Joe.

– Allez ! En route ! dit Mr Wonka. En route ! Pas une minute à perdre !

CHOCOLAT À LA LIQUEUR ET SUCRERIES ALCOOLISÉES, disait l'écriteau de la porte suivante.

– Voilà qui me paraît bien plus intéressant, dit Mr Salt, le père de Veruca.

– Magnifique ! dit Mr Wonka. Tous les Oompa-Loompas en raffolent. Ça leur monte à la tête. Écoutez ! Ils font la noce !

Des cris joyeux, des rires et des bribes de chansons parvenaient aux visiteurs par la porte close.

– Ils boivent comme des trous, dit Mr Wonka. Ce qu'ils préfèrent c'est le whisky-caramel. Mais le gin-tonic au beurre est très populaire aussi. Suivez-moi, s'il vous plaît ! Nous ne devrions pas nous arrêter partout.

Il tourna à gauche. Il tourna à droite. Puis ils arrivèrent devant une grande volée d'escalier. Mr Wonka descendit sur la rampe. Les trois enfants l'imitèrent. Mrs Salt et Mrs Teavee, les seules femmes restées en course, étaient hors d'haleine. Mrs Salt était une énorme créature avec de toutes petites jambes. Elle soufflait comme un rhinocéros.

– Par ici ! cria Mr Wonka arrivé au pied de l'escalier. Il tourna à gauche.

– Courez moins vite ! haleta Mrs Salt.

– Impossible, dit Mr Wonka. Nous n'arriverons pas à l'heure si nous allons moins vite !

– Arriver où ? demanda Veruca Salt.

– Ne t'inquiète pas, dit Mr Wonka. Tu verras bien.

24
Veruca dans la salle aux noix

Mr Wonka se remit à galoper le long du corridor. LA SALLE AUX NOIX, annonçait l'écriteau de la porte suivante.

– Parfait, dit-il, arrêtez-vous ici quelques secondes pour souffler, et jetez un coup d'œil par la vitre de cette porte. Mais surtout, n'entrez pas ! Quoi qu'il arrive, n'entrez pas dans la salle aux noix ! Vous risquez de déranger les écureuils !

Ils s'attroupèrent devant la porte.

– Oh ! regarde, grand-papa, regarde ! cria Charlie.

– Des écureuils ! cria Veruca Salt.

– Ça alors ! dit Mike Teavee.

Le spectacle était fascinant. Une centaine d'écureuils étaient juchés sur de hauts tabourets autour d'une grande table. Sur la table, il y avait des tas et des tas de noix, et les écureuils travaillaient comme des forcenés. Ils décortiquaient les noix à une vitesse incroyable.

– Ces écureuils ont été entraînés exprès pour décortiquer les noix, expliqua Mr Wonka.

– Pourquoi des écureuils ? demanda Mike Teavee. Pourquoi pas des Oompa-Loompas ?

– Parce que, dit Mr Wonka, les Oompa-Loompas n'arrivent pas à sortir les cerneaux de leurs coquilles sans les casser. Seuls les écureuils sont capables de les conserver intacts. C'est extrêmement difficile. Or, dans ma chocolaterie, je tiens beaucoup à n'utiliser que des noix entières. C'est pourquoi j'ai recours à des écureuils. Ils sont magnifiques, n'est-ce pas ? Voyez leurs gestes ! Et voyez comme ils frappent d'abord la coquille du doigt pour s'assurer que la noix n'est pas pourrie ! Les noix pourries sonnent creux, et alors, pas la peine de les ouvrir ! Ils les jettent à la poubelle. Là ! Regardez ! Regardez bien le premier écureuil ! Je pense qu'il est tombé sur une mauvaise noix !

Tous les regards s'étaient posés sur le premier écureuil qui frappait de la patte la coquille. Il pencha la tête d'un côté, écouta attentivement puis, soudain, il lança la noix par-dessus son épaule, dans un grand trou par terre.

– Maman ! cria soudain Veruca Salt, j'en veux un, c'est décidé ! Achète-moi un de ces écureuils !

– Ne dis pas de sottises, ma chérie, dit Mrs Salt. Ils sont tous à Mr Wonka.

– Je m'en moque ! hurla Veruca. J'en veux un. Je n'ai à la maison que deux chiens, quatre chats, six petits lapins, deux perruches, trois canaris, un perroquet vert, une tortue, un bocal plein de poissons rouges, une cage pleine de souris blanches et un viel hamster complètement gâteux ! Je veux un *écureuil* !

– Très bien, mon chou, lança Mrs Salt. Maman t'offrira un écureuil le plus tôt possible.

– Mais je ne veux pas un écureuil quelconque ! hurla Veruca. Je veux un écureuil dressé !

À cet instant, Mr Salt, le père de Veruca, fit un pas en avant.

– Eh bien, Wonka, dit-il d'un ton présomptueux en sortant un portefeuille plein d'argent, combien voulez-vous pour l'une de vos sacrées bestioles ? Quel est votre prix ?

– Mes écureuils ne sont pas à vendre, répondit Mr Wonka. Elle n'en aura pas.

– Comment, je n'en aurai pas ! hurla Veruca.

Qu'est-ce qui m'empêche d'aller m'en chercher un, tout de suite ?

– N'y va pas ! intervint aussitôt Mr Wonka.

Mais… trop tard ! Déjà la fillette avait ouvert la porte pour se précipiter dans la salle.

À l'instant même, les cent écureuils cessèrent de travailler et tournèrent la tête pour la dévisager de leurs petits yeux de jais.

Veruca s'arrêta à son tour pour les regarder. Puis son choix se fixa sur un joli petit écureuil, non loin d'elle, au bout de la table. L'écureuil tenait une noix entre ses pattes.

– Bien, dit Veruca, je t'aurai !

Elle étendit les mains pour attraper l'écureuil… mais aussitôt… en une fraction de seconde, alors qu'elle avançait les mains, il y eut soudain un remue-ménage dans la salle, un remue-ménage tout roux, et tous les écureuils quittèrent d'un bond la table pour atterrir sur le corps de Veruca.

Vingt-cinq écureuils prirent possession de son bras droit et l'immobilisèrent.

Vingt-cinq autres s'emparèrent de son bras gauche pour le bloquer de même.

Vingt-cinq s'abattirent sur sa jambe gauche et la clouèrent au sol.

Vingt-quatre en firent autant pour sa jambe droite.

Enfin, l'unique écureuil encore inoccupé (le chef, de toute évidence) grimpa sur l'épaule de Veruca et se mit à frapper, toc ! toc ! toc ! sur la tête de la malheureuse petite fille.

– Sauvez-la ! hurla Mrs Salt. Veruca ! Reviens ! Qu'est-ce qu'ils lui font ?

– Ils l'examinent pour voir si c'est une noix pourrie, dit Mr Wonka. Regardez !

Veruca se débattait furieusement, mais les écureuils la tenaient fermement, impossible de bouger. Celui qui était juché sur son épaule continuait à taper sur sa tête.

Puis, tout à coup, les écureuils renversèrent Veruca et se mirent à la traîner par terre, tout le long de la salle.

– Bonté divine ! Elle est une noix pourrie, dit Mr Wonka. Sa tête a dû sonner bien creux.

Veruca gigota et brailla. Rien à faire. Les petites pattes vigoureuses la serraient très fort. Impossible de fuir.

– Où l'emmènent-ils ? hurla Mrs Salt.

– Là où vont toutes les noix pourries, dit Mr Willy Wonka. Au vide-ordures.

– Ça alors ! Ils la jettent dans le trou ! dit Mr Salt qui observait sa fille à travers la porte vitrée.

– Qu'est-ce que vous attendez pour la sauver ? cria Mrs Salt.

– Trop tard, dit Mr Wonka. Elle est partie !

Et c'était vrai.

– Mais où est-elle ? hurla Mrs Salt en gesticulant comme une folle. Que fait-on des mauvaises noix ? Où conduit ce vide-ordures ?

– Le vide-ordures en question, dit Mr Wonka, aboutit directement à l'égout qui charrie tous les détritus de tous les coins de mon usine – toute la poussière, toutes les épluchures de pommes de terre, les feuilles de chou fanées, les têtes de poissons et j'en passe.

– Qui est-ce qui mange du poisson, des choux et des patates dans cette chocolaterie, je voudrais bien le savoir ? dit Mike Teavee.

– Moi, naturellement, répondit Mr Wonka. Ou crois-tu que je me nourris de grains de cacao ?

– Mais… mais… mais, cria Mrs Salt, où finit cet égout ?

– Dans le grand fourneau, voyons, dit calmement Mr Wonka. À l'incinérateur !

Mrs Salt ouvrit sa grande bouche rouge et poussa un cri perçant.

– Ne vous tourmentez pas, dit Mr Wonka, il y a de fortes chances qu'il ne soit pas allumé aujourd'hui.

– Des *chances* ! hurla Mrs Salt. Ma pauvre petite Veruca ! Elle… elle… elle sera grillée comme une saucisse !

– Très juste, ma chère, dit Mr Salt. Maintenant, écoutez-moi, Wonka, ajouta-t-il, je pense que vous allez un tout petit peu trop loin, vraiment. Que ma fille soit une vraie petite peste, je veux bien l'admettre. Mais ce n'est pas une raison pour la faire rôtir au four. Je suis extrêmement indigné et fâché.

– Oh ! ne vous fâchez pas, cher monsieur ! dit Mr Wonka. Je suppose qu'elle remontera tôt ou tard. Peut-être n'est-elle pas descendue du tout. Elle a pu rester coincée dans le conduit, juste après le trou et, dans ce cas, il vous suffirait d'y entrer pour la tirer de là.

À ces mots, Mr et Mrs Salt se précipitèrent tous deux dans la salle aux noix. Ils coururent vers le trou et se penchèrent dessus.

– Veruca ! cria Mrs Salt. Es-tu là ?

Pas de réponse.

Afin de mieux voir, Mrs Salt se pencha plus avant. Maintenant, elle était agenouillée au bord du trou, la tête baissée, son énorme derrière en l'air comme un champignon géant. Position plutôt dangereuse. Il suffisait de la pousser un peu... de lui donner une toute petite tape au bon endroit... et c'est exactement ce que firent les écureuils !

Elle tomba, la tête la première, en poussant des cris de perroquet.

– Bonté divine ! dit Mr Salt en voyant dégringoler sa volumineuse épouse, ce qu'il y aura comme déchets ce soir !

Elle disparut dans le trou sombre.

– Tu te plais là-bas, Angine ? s'exclama-t-il, tout en se penchant un peu plus avant.

Les écureuils surgirent derrière son dos...

– Au secours ! hurla Mr Salt.

Mais déjà il tombait, la tête la première, pour disparaître dans le conduit, succédant à sa femme... et à sa fille.

– Oh ! mon Dieu ! cria Charlie qui assistait avec les autres à la scène, derrière la vitre, que vont-ils devenir maintenant ?

– Je pense que quelqu'un les attrapera à la sortie du conduit, dit Mr Wonka.

– Et le grand incinérateur ? demanda Charlie.

– Ils ne l'allument qu'un jour sur deux, dit Mr Wonka. C'est peut-être un jour sans. On ne sait jamais... Ils peuvent avoir de la chance...

– Chut ! dit grand-papa Joe. Écoutez-les ! Ils chantent encore !

Au loin, à l'autre bout du corridor, les battements des tambours se firent entendre. Puis vint la chanson.

Veruca Salt ! chantaient les Oompa-Loompas,
Veruca Salt, l'horrible enfant,
V'là qu'elle descend le toboggan.
(Aussi avons-nous cru bien faire,
Afin de régler cette affaire
Qui nous causait tant de tourments,
D'expédier aussi ses parents.)
Veruca se volatilise
Et il faut bien qu'on vous le dise :
Il se peut bien qu'elle connaisse
Des amis d'une tout autre espèce
Des amis bien moins raffinés
Que ceux qu'elle vient de quitter.
Voyez la tête de morue
Qui au passage la salue.
En descendant ce tuyau sombre
Elle fera bien d'autres rencontres,
Des os rognés, du lard moisi,
De vieux croûtons de pain rassis,
Un steak dont on n'a pas voulu,
Un camembert tout vermoulu,
Une coquille d'huître triste à voir,
Un bout de saucisson tout noir,

Des noix pourries à chaque pas,
De la sciure au pipi de chat,
Tout ça galope et s'enchevêtre,
Empestant à trois kilomètres.
Tels sont les amis délicats
Qu'aura rencontrés Veruca,
En descendant, à son passage !
Vrai, pour une enfant de son âge,
Direz-vous, c'est un bien triste sort.
C'est juste, vous n'avez pas tort.
Car, bien qu'elle soit insupportable,
Elle n'est qu'à moitié coupable.
Et c'est pourquoi, à voix haute,
On vous demande : À qui la faute ?
Car – et c'est loin d'être un problème,
On ne se gâte pas soi-même.
Qui donc a fait de Veruca
Le petit monstre que voilà ?
Hélas, hélas ! Ne cherchez pas !
Ils sont tout près, les scélérats !
Ah ! C'est bien triste à dire, vraiment,
Ils ont pour nom PAPA et MAMAN.
Les v'là en route pour la fournaise,
La solution n'est pas mauvaise !

25
Le grand ascenseur
de verre

– Je n'ai jamais vu une chose pareille ! cria Mr Wonka. Tous ces enfants qui disparaissent à tour de rôle ! Mais il ne faut pas vous tourmenter ! Ils s'en tireront *tous* !

Mr Wonka passa en revue le petit groupe. Plus que deux enfants – Mike Teavee et Charlie Bucket. Et trois adultes, Mr et Mrs Teavee et grand-papa Joe.

– Alors, on continue ? demanda Mr Wonka.

– Oh ! oui ! crièrent Charlie et grand-papa Joe en même temps.

– Je commence à avoir mal aux pieds, dit Mike Teavee. J'ai envie de regarder la télévision.

– Si tu es fatigué, il vaudrait mieux prendre l'ascenseur, dit Mr Wonka. C'est par là. Venez ! Et nous y voilà !

Il traversa à grands pas le couloir pour s'arrêter devant une porte à deux battants. Les battants s'ouvrirent pour laisser entrer les deux enfants et les adultes.

– Et maintenant, s'écria Mr Wonka, sur quel bouton allons-nous appuyer d'abord ? Faites votre choix !

Charlie Bucket regarda autour de lui, tout étonné. Il n'avait jamais vu d'ascenseur aussi excentrique. Des boutons partout ! Les murs, et même le plafond, étaient couverts d'innombrables rangées de petits boutons noirs ! Il y en avait bien mille de chaque côté, sans parler du plafond ! Et soudain, Charlie s'aperçut que chacun de ces boutons était flanqué d'une minuscule étiquette, indiquant la destination.

– Ce n'est pas un ascenseur ordinaire qui monte et qui descend ! annonça fièrement Mr Wonka. Cet ascenseur se déplace aussi bien de travers qu'en avant et en arrière, dans tous les sens, en somme ! Il dessert toutes les pièces de ma chocolaterie, sans exception ! Vous n'avez qu'à appuyer sur le bouton… et zing !.. vous partez !

– *Fantastique* ! murmura grand-papa Joe.

Devant les innombrables rangées de boutons, ses yeux brillaient d'enthousiasme.

– L'ascenseur est tout entier fait de verre blanc très épais ! déclara Mr Wonka. Les parois, les portes, le sol, le plafond, tout est transparent, tout est panoramique, vous pouvez tout voir, dans tous les sens !

– Mais il n'y a rien à voir, dit Mike Teavee.

– Choisis un bouton ! dit Mr Wonka. Chaque

enfant a droit à un bouton. Faites votre choix !
Vite ! Dans chaque salle vous attend quelque chose
de merveilleux, de délicieux !

Charlie se mit vite à lire les inscriptions qui
accompagnaient les boutons.

MINE DE ROCHERS DE CHOCOLAT –
PROFONDEUR 3 000 MÈTRES, disait l'une d'elles ;
Puis… PISTOLETS À JUS DE FRAISE,
CARAMÉLIERS À PLANTER
DANS VOTRE JARDIN – TOUTES LES TAILLES ;
BONBONS EXPLOSIFS POUR VOS ENNEMIS ;
SUCETTES LUMINEUSES,
À MANGER AU LIT, LA NUIT ;
JUJUBES À LA MENTHE COLORANT
LES DENTS EN VERT POUR UN MOIS ;
CARAMELS CREUX –
PLUS BESOIN DE DENTISTE !
BONBONS COLLANTS POUR PARENTS BAVARDS ;
BONBONS MOBILES QUI SE TORTILLENT
DÉLICIEUSEMENT DANS VOTRE ESTOMAC
APRÈS AVOIR ÉTÉ AVALÉS ;
BÂTONS DE CHOCOLAT INVISIBLES
À MANGER EN CLASSE ;
CRAYONS ENROBÉS DE CHOCOLAT
AGRÉABLES À SUCER ;
PISCINES À LIMONADE GAZEUSE ;
NOUGATINE MAGIQUE – IL SUFFIT DE L'AVOIR
DANS LA MAIN POUR EN SENTIR LE GOÛT ;

DRAGÉES ARC-EN-CIEL – SUCEZ-LES
ET VOUS CRACHEREZ DE TOUTES
LES COULEURS.

– Allons, pressons ! cria Mr Wonka. Nous ne
pouvons pas nous éterniser ici !

– N'y a-t-il pas une salle de télévision dans tout
ce fatras ? demanda Mike Teavee.

– Mais certainement, dit Mr Wonka. C'est ce
bouton-là.

Il le désigna du doigt. Tous les regards se posèrent
sur la minuscule étiquette qui accompagnait le bouton et qui disait : CHOCOLAT TÉLÉVISÉ.

– Youpiiii ! hurla Mike Teavee. C'est exactement
ce qu'il me faut !

Il tendit le doigt et appuya sur le bouton. Aussitôt, on entendit un formidable sifflement. Les
portes claquèrent et l'ascenseur sursauta comme
piqué par une guêpe. Mais il s'ébranla *latéralement* !
Et tous les passagers (sauf Mr Wonka qui avait
empoigné une courroie fixée au plafond) furent
jetés à terre.

– Debout ! Debout ! s'esclaffa Mr Wonka.

Mais à peine s'étaient-ils relevés que l'ascenseur
changea de direction pour prendre un virage avec
violence. Et tout le monde se retrouva par terre.

– Au secours ! cria Mrs Teavee.

– Prenez mon bras, madame, dit galamment
Mr Wonka. Voilà ! Et maintenant, agrippez-vous à

166

cette courroie ! Que tout le monde en attrape une !
Le voyage n'est pas encore fini !

Le vieux grand-papa Joe se releva et se saisit
d'une courroie. Trop petit pour atteindre le plafond, Charlie mit ses bras autour des jambes de son
grand-père et s'y cramponna de toutes ses forces.

L'ascenseur avait la rapidité d'une fusée. À présent, il grimpait. Il grimpait, il grimpait, comme s'il escaladait une pente très abrupte. Puis, soudain, comme s'il avait atteint le sommet de la colline et survolé un précipice, il tomba comme une pierre, et Charlie sentit son estomac faire un bond jusque dans sa gorge, et grand-papa Joe hurla :

– Youpiii ! Nous voilà !

Et Mrs Teavee s'écria :

– La corde est cassée ! Nous allons nous écraser !

– Calmez-vous, chère madame, dit Mr Wonka en lui tapotant le bras pour la réconforter.

Grand-papa Joe baissa les yeux vers Charlie qui s'accrochait toujours à ses jambes :

– Ça va, Charlie ?

– Ça va très bien ! répondit Charlie ! On dirait un bateau qui roule !

Et, à travers les parois de verre, ils entrevoyaient, en passant devant de nouvelles salles, d'étranges, de merveilleuses images :

Une énorme gargouille crachant une sauce brune et onctueuse…

Une haute montagne rocailleuse toute en nougat que des Oompa-Loompas (encordés pour plus de sécurité) découpaient à la pioche…

Une sorte de bombe qui vaporisait de la poudre blanche, on aurait dit une tempête de neige…

Un lac de crème chaude au caramel qui fumait…

Un village d'Oompa-Loompas, avec de minuscules maisons, et des rues où jouaient des centaines de tout petits Oompa-Loompas qui ne mesuraient pas plus de vingt centimètres…

Puis l'ascenseur se redressa. On aurait dit qu'il volait plus vite que jamais. À mesure qu'ils avançaient, Charlie pouvait entendre hurler le vent. L'ascenseur fonçait en se tortillant… et il tourna… et il monta… et il descendit… et…

– Je vais me trouver mal ! hurla Mrs Teavee qui était devenue toute verte.

– Ne vous trouvez pas mal, s'il vous plaît ! dit Mr Wonka.

– Rien à faire ! dit Mrs Teavee.

– Alors, prenez ceci, dit Mr Wonka.

Il ôta son magnifique chapeau haut de forme noir et le mit sens dessus dessous devant la bouche de Mrs Teavee.

– Arrêtez cet effroyable engin ! ordonna Mr Teavee.

– Impossible, dit Mr Wonka. Il ne s'arrêtera pas avant d'être arrivé. Pourvu que personne ne se serve en ce moment de l'*autre* ascenseur.

– Quel autre ascenseur ? hurla Mrs Teavee.

– Celui qui va dans le sens inverse, sur la même voie, dit Mr Wonka.

– Ciel ! cria Mr Teavee. Vous voulez dire qu'il peut y avoir une collision ?

– Jusqu'à présent, j'ai toujours eu de la chance, dit Mr Wonka.

– Cette fois-ci, je vais vraiment être malade ! gémit Mrs Teavee.

– Non, non ! dit Mr Wonka. Pas maintenant ! Nous arrivons ! N'abîmez pas mon chapeau !

Au bout d'un instant, on entendit crisser les freins et l'ascenseur ralentit. Puis il s'arrêta complètement.

– Vous parlez d'une balade ! dit Mr Teavee.

Il sortit son mouchoir pour s'éponger la figure.

– Plus jamais ça ! suffoqua Mrs Teavee.

Puis les portes de l'ascenseur s'ouvrirent et Mr Wonka dit :

– Une minute ! Écoutez-moi bien ! Puis-je vous demander d'être tous très prudents dans cette salle ? Elle est pleine de choses dangereuses. Ne touchez à rien !

26
La salle
au chocolat télévisé

La famille Teavee, suivie de Charlie et de grand-papa Joe, quitta l'ascenseur pour une salle si éblouissante de clarté qu'ils durent tous s'arrêter en fermant les yeux. Mr Wonka remit à chacun d'eux une paire de lunettes noires et dit :

– Mettez-les vite ! Et tant que vous êtes dans cette salle, ne les enlevez pas, quoi qu'il arrive ! Cette lumière peut vous aveugler !

Dès qu'il eut chaussé ses lunettes noires, Charlie put regarder tranquillement autour de lui. La pièce était entièrement peinte en blanc. Même le sol était blanc, on n'y voyait pas un grain de poussière. Le plafond était hérissé de grosses lampes qui inondaient la salle d'une éclatante lumière, d'un blanc bleuté. Seules ses deux extrémités étaient meublées. À l'une d'elles se dressait une énorme caméra montée sur roues, et toute une armée d'Oompa-Loompas tournaient autour, en train de graisser les jointures, de tourner les boutons de réglage, de faire briller les objectifs. Ces Oompa-Loompas étaient

171

vêtus de façon vraiment extraordinaire. Ils portaient des scaphandres de cosmonautes rouge vif avec des casques et des lunettes protectrices – du moins, cela ressemblait à des scaphandres de cosmonautes – et ils travaillaient dans un silence complet. En les voyant faire, Charlie fut pris d'un étrange sentiment d'insécurité. Toute cette affaire sentait le danger et les Oompa-Loompas le savaient. Finis les bavardages, finies les chansons. Dans leurs scaphandres écarlates, ils maniaient l'énorme caméra avec lenteur et précaution.

À l'autre bout de la pièce, à cinquante pas environ de la caméra, un seul Oompa-Loompa (habillé également en cosmonaute) était assis à une table noire, les yeux fixés sur l'écran d'un très grand poste de télévision.

– Et voilà ! cria Mr Wonka, tout sautillant et tout excité, dans cette salle va naître la dernière, la plus importante de mes inventions : le chocolat télévisé !

– Mais qu'est-ce que c'est que ce chocolat télévisé ? demanda Mike Teavee.

– Bonté divine, ne me coupe pas tout le temps la parole, mon garçon ! dit Mr Wonka. Il agit par la télévision. En ce qui me concerne, je n'aime pas beaucoup la télévision. À petites doses, passe encore, mais il faut croire que les enfants sont incapables de s'en tenir là. Ils ne s'en lassent jamais, ils restent collés à l'écran à longueur de journée...

– Comme moi ! dit Mike Teavee.

– La ferme ! dit Mr Teavee.

– Merci, dit Mr Wonka. Et maintenant je vais vous dire comment fonctionne ce fascinant poste de télévision que voici. Mais, au fait, savez-vous comment fonctionne la télévision ordinaire ? C'est très simple. D'un côté, là où l'image est prise, vous avez une grande caméra et vous commencez par prendre des photos. Ensuite, ces photos sont divisées en des millions de petites particules, si petites qu'il est impossible de les voir, et ces petites particules sont projetées dans le ciel par l'électricité. Là, dans le ciel, elles tournent en rond en sifflant, jusqu'à ce qu'elles se heurtent à une antenne, sur le toit d'une maison. Alors elles descendent en une fraction de seconde par le fil qui les conduit tout droit dans le dos du poste de télévision et, une fois sur place, elles sont secouées et remuées jusqu'à ce qu'elles se remettent en place (exactement comme dans un puzzle), et hop ! l'image apparaît sur l'écran...

– Ce n'est pas exactement comme ça que ça fonctionne, dit Mike Teavee.

– Je suis un peu sourd de l'oreille gauche, dit Mr Wonka. Excuse-moi si je n'entends pas tout ce que tu dis.

– Je dis que ça ne marche pas exactement comme vous dites ! hurla Mike Teavee.

– Tu es un gentil garçon, dit Mr Wonka, mais tu

parles trop. Allons ! Quand j'ai vu fonctionner une télévision ordinaire pour la première fois, il m'est venu une idée extraordinaire. J'ai crié : « Regardez ! Si ces gens peuvent découper une *image* en des millions de morceaux, et envoyer ces morceaux en l'air pour les recoller ensuite, pourquoi ne tenterais-je pas la même chose avec du chocolat ? Qu'est-ce qui m'empêche de catapulter une vraie tablette de chocolat divisée en tout petits morceaux, et de la recoller ensuite ? »

– Impossible ! dit Mike Teavee.

– Tu crois ? cria Mr Wonka. Eh bien, regarde ! Je vais expédier maintenant une tablette de mon meilleur chocolat à l'autre bout de cette salle – par la télévision ! Hé ! Là-bas ! Apportez le chocolat !

Six Oompa-Loompas apparurent aussitôt, portant sur leurs épaules une gigantesque tablette de chocolat comme Charlie n'en avait jamais vu. Elle était à peu près de la taille du matelas sur lequel Charlie dormait à la maison.

—Il faut qu'elle soit grande, expliqua Mr Wonka, car tout est toujours beaucoup plus petit qu'avant, au moment de la projection. Même à la télévision ordinaire, vous avez beau prendre un grand et gros bonhomme, sur l'écran il ne sera jamais plus grand qu'un crayon, pas vrai ? Donc, allez-y ! Partez ! *Non ! Non ! Arrêtez ! Arrêtez tout !* Toi, là-bas ! Mike Teavee ! Recule ! Tu es trop près de la caméra ! Elle émet des rayons dangereux ! Ils peuvent te réduire en un million de petits morceaux, en une seconde ! C'est pour cela même que les Oompa-Loompas portent des scaphandres ! Ça les protège ! Bien ! Ça va ! Allez-y ! *Allumez !*

L'un des Oompa-Loompas tourna un énorme commutateur.

Il y eut un éclair aveuglant.

– Le chocolat s'est volatilisé ! s'écria grand-papa Joe en agitant les bras.

Il disait vrai ! L'énorme tablette de chocolat avait complètement disparu !

– Il est en route ! cria Mr Wonka. Il s'envole dans les airs, au-dessus de nos têtes, désintégré en un million de petits morceaux. Vite ! Venez par ici !

Il se précipita vers l'autre bout de la salle, là où se dressait l'énorme poste de télévision. Les autres le suivirent.

– Regardez bien l'écran ! cria-t-il. Ça vient ! Regardez !

L'écran se mit à clignoter, puis il s'alluma. Et soudain, une petite tablette de chocolat apparut au milieu du rectangle.

– Attrapez-la ! cria Mr Wonka, de plus en plus excité.

– L'attraper ? demanda en riant Mike Teavee. Mais ce n'est qu'une image sur un écran de télévision.

– Charlie Bucket ! cria Mr Wonka. Attrape-la ! Étends la main et attrape-la !

Charlie tendit la main et toucha l'écran. Et soudain, comme par miracle, la tablette de chocolat se détacha et il la sentit entre ses doigts. Son étonnement fut tel qu'il faillit la laisser tomber.

– Mange-la ! cria Mr Wonka. Vas-y, mange-la !
Elle sera délicieuse ! C'est la même tablette ! Elle a
rétréci en chemin, voilà tout !

– C'est absolument fantastique ! balbutia grand-
papa Joe. C'est… c'est… c'est un miracle !

– Pensez, cria Mr Wonka, imaginez ce que ce sera
quand je le diffuserai dans tout le pays… Vous serez
tranquillement chez vous à regarder la télévision,
et soudain, il y aura une annonce publicitaire sur
votre écran, et une voix dira : « MANGEZ LES CHO-
COLATS WONKA ! LES MEILLEURS DU MONDE !
VOUS NE NOUS CROYEZ PAS ? EH BIEN, GOÛTEZ-
LES ! » Et vous n'aurez qu'à tendre la main pour
cueillir la tablette ! Eh bien, qu'en pensez-vous ?

– Magnifique ! cria grand-papa Joe. Ça va changer la face du monde !

27
Mike Teavee
se fait téléviser

À la vue de ce chocolat télévisé, Mike Teavee s'excita encore plus que grand-papa Joe.

– Mais, Mr Wonka, cria-t-il, pouvez-vous téléviser autre chose, de la même façon ? Un petit déjeuner de céréales, par exemple ?

– Quelle horreur ! s'écria Mr Wonka. Ne me parle pas de ce produit dégoûtant ! Sais-tu ce que c'est, le petit déjeuner de céréales ? C'est fait de ces petits copeaux de bois frisottés qu'on trouve dans les taille-crayons !

– Mais si vous le vouliez, pourriez-vous le téléviser comme du chocolat ? insista Mike Teavee.

– Naturellement !

– Et les gens ? Pourriez-vous projeter de la même façon un véritable être vivant ?

– *Un être vivant ?* cria Mr Wonka. Serais-tu devenu fou ?

– Mais est-ce que cela se peut ?

– Ça, mon garçon, je ne le sais vraiment pas… c'est bien possible après tout… oui, j'en suis à peu près sûr… c'est tout à fait possible… mais je n'aimerais pas courir ce risque… j'aurais bien trop peur du résultat…

Mais déjà, Mike Teavee s'était détaché du groupe. En entendant dire Mr Wonka « j'en suis à peu près sûr… c'est tout à fait possible », il s'était mis à courir comme un fou vers l'autre bout de la salle où s'élevait la grande caméra.

– Regardez-moi bien ! cria-t-il, tout en courant. Je vais être la première personne du monde à être télévisée comme du chocolat !

– Non, non, non, non ! cria Mr Wonka.

– Mike ! hurla Mrs Teavee. Arrête ! Reviens ! Tu vas être désintégré en un million de petits morceaux !

Or, rien à faire pour arrêter Mike Teavee. Il fonçait, comme un fou, sur l'immense caméra et s'empara du commutateur en écartant les Oompa-Loompas sur son passage.

– À nous deux, mon vieux ! hurla-t-il en allumant les puissants objectifs.

Et il s'exposa à leur lumière.

Il y eut un éclair aveuglant.

Puis ce fut le silence. Et puis Mrs Teavee se mit à courir… mais elle s'arrêta à mi-chemin… pour rester là… à regarder fixement l'endroit où elle avait vu son fils… sa bouche rouge grande ouverte, elle hurla :

– Il a disparu ! Il a disparu !

– Ciel ! Mais c'est vrai, il est parti ! hurla Mr Teavee.

Mr Wonka accourut et posa doucement une main sur l'épaule de Mrs Teavee.

– Ne nous affolons pas. Il faut prier pour que votre petit sorte indemne par l'autre bout.

– Mike ! hurla Mrs Teavee en se tordant les mains. Où es-tu ?

– Je peux te dire où il est, dit Mr Teavee, il tourne

en rond au-dessus de nos têtes, désintégré en un million de petits morceaux !

– Tais-toi ! gémit Mrs Teavee.

– Il faut regarder la télévision, dit Mr Wonka. Il peut passer à n'importe quel moment.

Mr et Mrs Teavee, grand-papa Joe et le petit Charlie firent demi-cercle autour du poste, les yeux fixés sur l'écran. Mais il était vide.

– Il met du temps à revenir, dit Mr Teavee en s'épongeant le front.

– Oh, mon Dieu, mon Dieu, dit Mr Wonka, j'espère qu'il n'y laissera aucune partie de sa personne.

– Qu'entendez-vous par là ? demanda vivement Mr Teavee.

– Loin de moi l'idée de vouloir vous effrayer, dit Mr Wonka, mais il arrive quelquefois que les petites particules s'égarent et que la moitié seulement retrouvent le chemin du poste. C'est ce qui est arrivé la semaine dernière. Je ne sais trop pourquoi, mais seule une demi-tablette de chocolat est apparue sur l'écran.

Mrs Teavee poussa un cri de terreur.

– Vous voulez dire qu'une moitié seulement de Mike nous reviendra ?

– Espérons que ce sera celle du haut, dit Mr Teavee.

– Attention ! dit Mr Wonka. Regardez l'écran ! Il y a du nouveau !

L'écran s'était mis à clignoter.

Puis on vit apparaître quelques lignes ondulées.

Mr Wonka tourna l'un des boutons, et les lignes ondulées disparurent.

Petit à petit, l'écran devenait plus net.

—Le voici ! hurla Mr Wonka. Oui, c'est bien lui !

—Est-il tout d'une pièce ? cria Mrs Teavee.

—Je n'en suis pas sûr, dit Mr Wonka. Il est encore trop tôt pour le dire.

D'abord floue, mais devenant de plus en plus nette de seconde en seconde, l'image de Mike Teavee se découpa sur l'écran. Il était debout, saluant de la main les téléspectateurs, le visage fendu par un large sourire.

—Mais c'est un nain ! hurla Mr Teavee.

—Mike ! cria Mrs Teavee, comment te sens-tu ? Ne te manque-t-il rien ?

—Ne grandira-t-il plus ? hurla Mr Teavee.

—Parle-moi, Mike ! cria Mrs Teavee. Dis quelque chose ! Dis-moi que tu vas bien !

Une toute petite voix, pas plus grosse que le couic d'une souris, sortit du poste de télévision :

—Bonjour, maman ! dit la voix. Bonjour, papa ! Regardez-moi ! Je suis la première personne télévisée du monde !

—Attrapez-le ! ordonna Mr Wonka. Vite !

Mrs Teavee avança la main et cueillit le minuscule personnage qu'était devenu Mike Teavee.

—Hourra ! cria Mr Wonka. Il est tout d'une pièce ! Il ne lui manque rien ! Il est indemne !

– Vous appelez ça indemne ! siffla Mrs Teavee en examinant le petit bout de garçon qui se promenait de long en large dans le creux de sa main en brandissant ses pistolets.

Il ne mesurait certainement pas plus d'un pouce.

– Il a rétréci ! constata Mr Teavee.

– Bien sûr qu'il a rétréci, dit Mr Wonka. Qu'attendiez-vous d'autre ?

– C'est terrible ! gémit Mrs Teavee. Qu'allons-nous faire ?

Et Mr Teavee dit :

– Nous ne pourrons pas l'envoyer à l'école dans cet état ! Il se ferait piétiner ! Il se ferait écraser !

– Il ne pourra plus rien faire du tout ! se lamenta Mrs Teavee.

– Mais si, mais si ! fit la petite voix de Mike Teavee. Je pourrai toujours regarder la télé !

– *Plus jamais* ! hurla Mr Teavee. Dès que nous serons rentrés à la maison, je jetterai le poste par la fenêtre. J'en ai assez de la télévision !

En entendant ces mots, Mike Teavee piqua une colère terrible. Il se mit à sauter comme un fou dans le creux de la main maternelle, en poussant des cris perçants et en tentant de lui mordre les doigts.

– Je veux regarder la télé ! glapit-il. Je veux regarder la télé ! Je veux regarder la télé ! Je veux regarder la télé !

– Donne ! Passe-le-moi ! dit Mr Teavee.

Il prit le minuscule garçon, le glissa dans la poche de son veston et mit son mouchoir par-dessus. On entendit encore des couics et des cris venant de la poche où se débattait furieusement le petit prisonnier.

– Oh ! Mr Wonka, se lamenta Mrs Teavee, que faut-il faire pour qu'il grandisse ?

– Eh bien, répondit-il en se caressant la barbe, les yeux levés au plafond, l'air pensif, ça va être un peu compliqué, disons-le tout de suite. Il est vrai que les garçons de petite taille sont extrêmement souples et agiles. Extensibles comme tout. Donc, nous n'avons qu'à le mettre dans un appareil spécial dont je me sers pour éprouver l'élasticité du chewing-gum ! Ça l'aidera peut-être à redevenir comme avant.

– Oh ! merci ! dit Mrs Teavee.

– Il n'y a pas de quoi, chère madame.

– Jusqu'où pensez-vous pouvoir l'étirer ? demanda Mr Teavee.

– Peut-être à des kilomètres, dit Mr Wonka. Qui sait ? Mais je vous préviens qu'il sera terriblement mince. Tout ce qu'on étire s'amincit.

– Vous voulez dire comme du chewing-gum ? demanda Mr Teavee.

– Exactement.

– Mince comment ? s'inquiéta Mrs Teavee.

– Aucune idée, dit Mr Wonka. Et, de toute manière, ça n'a pas beaucoup d'importance puisque nous allons bientôt le faire engraisser. Il suffira de lui administrer une triple surdose de mon merveilleux chocolat supervitaminé. Le chocolat supervitaminé contient des quantités considérables de vitamine A et de vitamine B. Il contient aussi de la vitamine C, de la vitamine D, de la vitamine E, de la vitamine F, de la vitamine G, de la vitamine H, de la vitamine I, de la vitamine J, de la vitamine K, de la vitamine L, de la vitamine N, de la vitamine O, de la vitamine P, de la vitamine R, de la vitamine S, de la vitamine T, de la vitamine

U, de la vitamine V, de la vitamine W, de la vitamine X, de la vitamine Y et, aussi étonnant que cela puisse paraître, de la vitamine Z. Les seules vitamines qu'il ne contient pas sont la vitamine M, qui vous rend malade, et la vitamine Q, parce qu'elle vous fait pousser une queue, une vraie queue de bœuf. En revanche, il contient une toute petite dose de la vitamine la plus rare, la plus recherchée, la plus magique de toutes : la vitamine Wonka.

– Et qu'est-ce que cela donnera ? demanda anxieusement Mr Teavee.

– Elle lui fera pousser les doigts de pied. Ils seront aussi longs que les doigts de sa main…

– Oh ! non ! cria Mrs Teavee.

– Ne soyez pas sotte, voyons, dit Mr Wonka. C'est très utile. Il pourra jouer du piano avec les pieds.

– Mais, Mr Wonka…

– Ne discutons pas, *s'il vous plaît !* dit Mr Wonka.

Il tourna la tête et claqua trois fois des doigts. Un Oompa-Loompa surgit aussitôt à ses côtés.

– Suivez mes ordres, dit Mr Wonka en remettant à l'Oompa-Loompa un bout de papier où il avait écrit des tas d'instructions. Quant au gosse, vous le trouverez dans la poche de son père. Allez ! Allez ! Au revoir, monsieur. Au revoir, madame ! Et ne prenez pas cet air si navré ! Ils s'en tirent toujours, vous le savez bien ! Tout s'arrange…

Et déjà, à l'autre bout de la salle, les Oompa-

Loompas rassemblés autour de la caméra battaient le tambour et se trémoussaient en cadence.

– Ça y est, ils recommencent ! dit Mr Wonka. Vous ne les empêcherez pas de chanter, je le crains bien.

Le petit Charlie prit la main de grand-papa Joe, et tous deux restèrent debout auprès de Mr Wonka, au milieu de la longue salle blanche, en écoutant chanter les Oompa-Loompas. Et voici leur chanson :

> *Le premier des commandements,*
> *En ce qui concerne les enfants,*
> *Est celui-ci : éloignez-les*
> *De votre poste de télé.*
> *Ou mieux – n'installez pas du tout*
> *Ce machin idiot chez vous.*
> *Dans presque toutes les maisons*
> *On les a vus, en pâmoison,*
> *Vautrés devant leur appareil,*
> *On n'a jamais rien vu de pareil.*
> *Les yeux leur sortaient de la tête*
> *(Y en avait plein sur la carpette)*
> *Transis, absents, les yeux en boules,*
> *Devant ce poste qui les saoule,*
> *Les bourre à longueur de journée*
> *De nourritures insensées.*
> *Vrai, ils se tiennent bien tranquilles,*
> *Ils ne font pas les imbéciles,*
> *Ne touchant rien, ne cassant rien,*

Ne poussant pas de cris d'Indiens,
En un mot, ils vous fichent la paix,
Étant bien sages, cela est vrai.
Mais savez-vous, mes chers adultes
Ce qu'il a de ravageant, ce culte ?
UTILE ? LOUABLE ? PAS QUESTION !
ÇA VOUS TUE L'IMAGINATION !
ÇA VOUS COLMATE LES MÉNINGES,
ÇA VOUS TRANSFORME EN PETITS SINGES,
EN PANTINS ET EN ABRUTIS
SANS FANTAISIE ET SANS ESPRIT,
EN RAMOLLIS, EN AUTOMATES
AVEC DES TÊTES COMME DES PATATES !
« D'accord ! nous direz-vous, d'accord,
Mais quel sera alors le sort
De nos petits ainsi frustrés ?
Que trouver pour les amuser ? »
Justement, là est la question.
Le monstre appelé télévision,
Si on a bonne mémoire,
N'a pas toujours été notoire !
Que faisiez-vous, étant petits,
Pour vous vitaminer l'esprit ?
C'est oublié ? Faut-il le dire
Tout haut ? LES… ENFANTS… SAVAIENT… LIRE !
Oui, ils lisaient, ces chers enfants,
Des contes, des vers et des romans,
Oui, ils dévoraient par milliers
Les gros volumes familiers !

Des fées, des rois et des reines
Faisant la chasse à la baleine,
Des sorcières et des dragons,
Des vaisseaux explorant les fonds
Des mers du Sud. Pirates, sauvages
Défilaient sur les rayonnages,
Des cannibales en délire
Dansant autour d'une poêle à frire…
Oh ! Dieu ! Qu'il était beau le temps,
Le temps des livres passionnants !
Et c'est pourquoi nous vous prions
D'extirper vos télévisions
Pour les remplacer par des livres
Pleins de merveilles, de joie de vivre !
Ils oublieront, en s'y plongeant,
Les insanités de l'écran !
Pour revenir à Mike Teavee,
Nous ferons tout pour le sauver,
Mais si, des fois, nous le manquons,
Que ça lui serve de leçon !

28
Seul Charlie reste

– Quelle sera la prochaine salle ? dit Mr Wonka après avoir regagné l'ascenseur en courant. Allez ! En route ! Partons ! Ça nous fait combien d'enfants, maintenant ?

Le petit Charlie regarda grand-papa Joe, et grand-papa Joe regarda le petit Charlie.

– Mais, Mr Wonka, lui cria grand-papa Joe, il n'y a… il n'y a plus que Charlie.

Mr Wonka se retourna et regarda Charlie d'un air hébété.

Il y eut un silence. Charlie resta immobile en serrant fort la main de grand-papa Joe.

– Tu veux dire qu'il n'y a plus que toi ? dit Mr Wonka en feignant la surprise.

– Eh bien… oui, dit tout bas Charlie.

Alors, soudain, Mr Wonka explosa.

– Mais… mon petit, s'exclama-t-il, cela signifie que tu as gagné !

Et d'un bond, il quitta l'ascenseur et serra la main de Charlie si fort qu'il faillit lui arracher le bras.

– Oh ! Toutes mes félicitations ! cria-t-il. Quelle joie ! Je suis enchanté, enchanté ! Ce ne pouvait être mieux ! Comme c'est merveilleux ! Sais-tu que, dès le début, mon petit doigt me disait que ce serait toi ! Bravo, Charlie, bien joué ! C'est formidable ! Maintenant, la fête va commencer pour de vrai ! Mais ce n'est pas une raison pour traînasser ! Nous avons encore moins de temps à perdre qu'avant ! Il nous reste encore une foule de choses à faire avant la fin du jour ! Et puis tous ces gens que nous devons aller chercher ! Mais, par bonheur, nous avons notre grand ascenseur, si sûr et si rapide ! Vas-y Charlie, monte ! Montez, Mr grand-papa Joe ! Non ! Après vous, s'il vous plaît ! Par ici ! Voilà ! Et, cette fois-ci, c'est moi qui choisirai le bouton !

Le scintillant regard bleu de Mr Wonka se posa un instant sur le visage de Charlie.

« Nous allons encore avoir une de ces folles aventures », pensa Charlie. Mais il n'avait pas peur. Il n'était même pas nerveux. Tout juste ému, terriblement ému. Et grand-papa Joe l'était tout autant. Le visage du vieil homme rayonnait tandis qu'il suivait des yeux chaque geste de Mr Wonka. Ce dernier posa le doigt sur un bouton, tout en haut, au plafond de l'ascenseur. Charlie et grand-papa Joe tendirent le cou pour lire ce que disait la petite étiquette collée à côté du bouton.

Ils lurent… POUR MONTER ET SORTIR.

« Monter et sortir, pensa Charlie, drôle de salle ! Qu'est-ce que ce peut bien être ? »

Mr Wonka pressa le bouton.

Les portes de verre se refermèrent.

– Agrippez-vous bien ! cria Mr Wonka.

Et PHTTT ! L'ascenseur fila tout droit comme une fusée !

– Youpi ! cria grand-papa Joe.

Charlie s'accrocha aux jambes de son grand-père et Mr Wonka à une courroie suspendue au plafond. Et ça montait, ça montait, toujours plus haut, toujours tout droit, sans détours, sans pirouettes ! Et, à mesure que l'ascenseur accélérait, Charlie pouvait entendre siffler le vent.

– Youpiii ! cria encore grand-papa Joe. Youpiii ! Nous voilà partis !

– Plus vite ! cria Mr Wonka en cognant à la paroi de l'ascenseur. Plus vite ! Plus vite ! Sinon, à ce train-là, nous ne traverserons jamais !

– Traverser quoi ? demanda grand-papa Joe. Qu'y a-t-il à traverser ?

– Ha ! ha ! cria Mr Wonka, attendez voir ! Cela fait des années que j'ai une envie folle d'appuyer sur ce bouton ! Mais je ne l'ai jamais fait jusqu'à présent ! J'ai été tenté souvent ! Oh ! oui, drôlement tenté ! Mais je supportais mal l'idée de faire un grand trou dans le toit de l'usine ! Et voilà, mes amis ! Cette fois-ci, ça y est !

– Mais vous ne voulez pas dire… cria grand-papa Joe, vous ne voulez tout de même pas dire que cet ascenseur…

– Mais si, mais si, parfaitement ! répondit Mr Wonka. Attendez voir ! Nous sortons !

– Mais… mais… mais… il est en verre ! hurla grand-papa Joe. Il volera en un million d'éclats !

– C'est possible, dit Mr Wonka, toujours souriant, mais c'est du bon gros verre !

Et l'ascenseur monta plus vite, plus vite, toujours plus vite…

Et puis soudain, CRAC ! Ils entendirent au-dessus de leurs têtes un vacarme affolant de bois éclaté et de tuiles cassées !

– Au secours ! hurla grand-papa Joe ! C'est la fin de tout ! Nous sommes perdus !

Et Mr Wonka dit :

– Mais non ! Nous avons réussi ! Nous sommes sortis !

Et c'était bien vrai. L'ascenseur avait traversé le toit de la chocolaterie. Il s'enfonçait dans le ciel comme une fusée et le soleil inondait le plafond de verre. Au bout de cinq secondes, ils planaient à près de mille mètres au-dessus du sol.

– L'ascenseur est devenu fou ! hurla grand-papa Joe.

– Ne craignez rien, cher monsieur, dit calmement Mr Wonka.

Et il appuya sur un autre bouton. L'ascenseur s'arrêta, comme par enchantement. Il demeura sur place, suspendu dans les airs, planant comme un hélicoptère au-dessus de la chocolaterie, au-dessus de la ville qui s'étalait à leurs pieds comme une carte postale ! À travers le plancher de verre, Charlie pouvait voir, au loin, les petites maisons, les rues et, par-dessus tout cela, l'épaisse couche de neige. Quelle étrange et inquiétante impression que d'être debout sur du verre, en plein ciel ! On avait le sentiment d'être debout sur rien du tout !

–Est-ce que tout va bien ? demanda grand-papa Joe. Qu'est-ce qui fait tenir en l'air cet engin ?

–L'énergie du chocolat ! dit Mr Wonka. Un million d'unités d'énergie de chocolat ! Oh ! Regardez ! cria-t-il en désignant la terre, voilà les autres enfants qui rentrent chez eux !

29
Les autres enfants rentrent chez eux

— Il *faut* que nous descendions pour voir nos petits amis avant d'entreprendre quoi que ce soit, dit Mr Wonka.

Il appuya sur un autre bouton et l'ascenseur se mit à descendre pour planer bientôt juste au-dessus des grandes portes d'entrée de la chocolaterie.

À présent, Charlie distinguait les enfants et leurs parents, formant un petit groupe à l'intérieur de la cour, tout près de l'entrée.

— Je n'en vois que trois, dit-il. Qui est-ce qui manque ?

— Ce doit être Mike Teavee, dit Mr Wonka. Mais il ne tardera pas à les rejoindre. Vois-tu les camions ?

Mr Wonka désigna une longue rangée de fourgons couverts qui stationnaient le long du mur.

— Oui, dit Charlie. Qu'est-ce que c'est que ces camions ?

— As-tu oublié ce qui est écrit sur les tickets d'or ? Chaque enfant ramène à la maison des provisions de sucreries pour la vie. Un camion par enfant, plein à craquer. Tiens! Voici notre ami Augustus Gloop! Le vois-tu? Il monte dans le premier camion avec ses parents!

– Êtes-vous sûr qu'il va tout à fait bien? s'étonna Charlie. Après son voyage dans cet horrible tuyau?

– Il va très, très bien, dit Mr Wonka.

– Il a changé! dit grand-papa Joe en l'examinant attentivement à travers la vitre de l'ascenseur. Il était gras, avant! Il est devenu maigre comme une allumette!

– Bien sûr qu'il a changé, dit en riant Mr Wonka. Il a été comprimé par le tuyau. Vous vous souvenez? Tiens! Voici Miss Violette Beauregard, la grande mâcheuse de chewing-gum! On dirait qu'ils l'ont bien débarrassée de tout ce jus! J'en suis ravi.

Et comme elle a bonne mine ! Bien meilleure qu'avant !

— Mais son visage est tout violet ! s'écria grand-papa Joe.

— Exact, dit Mr Wonka. Là, évidemment, il n'y a rien à faire.

— Mon Dieu ! s'écria Charlie. Regardez cette pauvre Veruca Salt et ses parents ! Ils sont absolument couverts de détritus !

— Et voilà Mike Teavee ! dit grand-papa Joe. Bonté divine ! Ils l'ont drôlement allongé ! Il mesure au moins deux mètres et il est mince comme un fil.

— Ils l'ont laissé trop longtemps dans la machine à tester le chewing-gum, constata Mr Wonka. Quelle négligence !

– Quel drame pour lui ! s'écria Charlie.

– Mais non, mais non, dit Mr Wonka. Il a de la chance. Toutes les équipes de basket-ball du pays se l'arracheront. Mais ça suffit maintenant, ajouta-t-il. Il est temps de quitter ces quatre petits idiots. J'ai quelque chose de très important à te dire, mon petit Charlie.

Mr Wonka appuya sur un nouveau bouton et l'ascenseur se remit à monter pour s'envoler dans le ciel.

30
La chocolaterie
de Charlie

Le grand ascenseur de verre planait maintenant très haut au-dessus de la ville. Il emportait Mr Wonka, grand-papa Joe et le petit Charlie.

– Comme j'aime ma chocolaterie, dit Mr Wonka en contemplant l'usine d'en haut.

Puis il se tut, tourna la tête et regarda Charlie d'un air extrêmement sérieux.

– Et toi, Charlie ? Tu l'aimes aussi ? demanda-t-il.

– Oh ! oui, cria Charlie. Je pense que c'est l'endroit le plus merveilleux du monde !

– Je suis très heureux de te l'entendre dire, dit Mr Wonka, l'air plus sérieux que jamais.

Et il continua de regarder fixement Charlie.

– Oui, dit-il, je suis vraiment très heureux de te l'entendre dire. Et maintenant, je vais t'expliquer pourquoi.

Mr Wonka pencha la tête d'un côté et, soudain, des tas de petits plis, signes d'un sourire, apparurent aux coins de ses yeux, et il dit :

– Vois-tu, mon garçon, j'ai décidé de t'en faire cadeau. Dès que tu seras assez grand pour la diriger, toute la chocolaterie t'appartiendra.

Charlie ouvrit de grands yeux étonnés. Grand-papa Joe, lui, ouvrit la bouche pour parler, mais il ne put sortir un mot.

– C'est la vérité, dit Mr Wonka qui, à présent, souriait pour de bon. Je te la donne réellement. Tu es bien d'accord ?

– La lui *donner* ? suffoqua grand-papa Joe. Vous plaisantez !

– Je ne plaisante pas, monsieur. Je parle très sérieusement.

– Mais… mais… pourquoi donneriez-vous votre usine à Charlie ?

– Écoutez, dit Mr Wonka, je suis un vieil homme. Je suis bien plus vieux que vous ne pensez. Je ne durerai pas toujours. Et je n'ai pas d'enfants. Pas de famille, rien. Qui donc s'occupera de ma chocolaterie quand je serai trop vieux pour le faire moi-même ? Il faut que quelqu'un la prenne en main, ne serait-ce qu'à cause des Oompa-Loompas. Songez qu'il y a des milliers de gens très capables qui donneraient tout au monde pour être à ma place. Mais je ne veux pas de ces gens-là. Je ne veux pas d'une grande personne, ici. Un adulte ne m'écouterait pas ; il n'apprendrait rien. Il tenterait de procéder à sa manière et non à la mienne. C'est pourquoi il me faut un enfant. Un enfant sage, sensible et affec-

tueux, un enfant à qui je puisse confier mes précieux secrets de fabrication – tant que je vivrai
encore.

– C'est donc pour cela que vous avez sorti vos tickets d'or ! s'écria Charlie.

– Exactement ! dit Mr Wonka. J'ai décidé d'invi-
ter cinq enfants à passer la journée dans ma chocolaterie, et celui que j'aimerais le mieux au bout de
cette journée serait le gagnant !

– Mais Mr Wonka, balbutia grand-papa Joe,
cette immense usine… pensez-vous réellement la
donner tout entière à mon petit Charlie ? Après
tout…

– Ce n'est pas le moment de discuter ! le coupa
Mr Wonka. Il faut que nous allions chercher le
reste de la famille – le père et la mère de Charlie, et
puis tous les autres ! Désormais ils pourront tous
habiter à l'usine ! Ils pourront tous me donner un
coup de main, tant que Charlie sera encore trop
petit pour diriger l'affaire tout seul ! Où habites-tu,
Charlie ?

Charlie scruta par la vitre de l'ascenseur les maisons enneigées.

– C'est par là, dit-il, en tendant le doigt. C'est la
petite maison, là-bas, au bout de la ville, la toute
petite…

– Je la vois ! s'écria Mr Wonka.

Il appuya sur d'autres boutons et l'ascenseur
fonça sur la petite maison.

–J'ai bien peur que ma mère ne puisse pas nous accompagner, dit tristement Charlie.

–Et pourquoi donc ?

–Elle ne voudra pas quitter grand-maman Joséphine, grand-maman Georgina et grand-papa Georges.

–Mais il faut qu'ils viennent tous !

–Impossible, dit Charlie. Ils sont très vieux. Ils ne sont pas sortis de leur lit depuis vingt ans.

–Alors nous emporterons aussi le lit, ils n'auront même pas besoin d'en sortir, dit Mr Wonka. L'ascenseur est assez vaste pour contenir un lit.

–Vous ne pourrez pas sortir le lit de la maison, dit grand-papa Joe. Il ne passera pas la porte.

–Il ne faut jamais désespérer ! cria Mr Wonka. Rien n'est impossible ! Vous allez voir !

L'ascenseur planait maintenant au-dessus de la petite maison des Bucket.

–Qu'allez-vous faire ? s'écria Charlie.

–Je vais les chercher, dit Mr Wonka.

–Comment ? demanda grand-papa Joe.

–En passant par le toit, dit Mr Wonka.

Et il appuya sur un autre bouton.

–Non ! hurla Charlie.

–Arrêtez ! hurla grand-papa Joe.

ET PATATRAS ! L'ascenseur traversa le toit pour faire irruption dans la chambre à coucher des vieux. Sous une pluie de poussière, de tuiles cassées, d'éclats de bois, de cafards, d'araignées, de briques et de ciment, les trois vieux, dans leur lit, crurent voir arriver la fin du monde. Grand-maman Georgina s'évanouit, grand-maman Joséphine perdit son dentier, grand-papa Georges mit la tête sous la couverture, et Mr et Mrs Bucket accoururent de l'autre pièce.

– Pitié ! cria grand-maman Joséphine.

– Calme-toi, mon épouse chérie, dit grand-papa Joe en sortant de l'ascenseur. Ce n'est que nous.

– Maman ! cria Charlie en se jetant dans les bras de Mrs Bucket. Maman ! Maman ! Écoute ! Nous allons tous habiter à la chocolaterie de Mr Wonka et nous allons l'aider à la diriger et il me l'a donnée tout entière, à moi, et… et… et… et…

– Qu'est-ce que tu racontes ? dit Mrs Bucket.

– Regarde plutôt notre maison ! cria le pauvre Mr Bucket. Elle est en ruine !

– Cher monsieur, dit Mr Wonka en faisant un bond en avant pour serrer cordialement la main de Mr Bucket, je suis vraiment heureux de faire votre connaissance. Ne vous tourmentez pas pour votre maison. Désormais, de toute manière, vous pourrez vous en passer.

– Qui est ce fou ? hurla grand-maman Joséphine. Il a failli nous tuer tous !

– C'est Mr Willy Wonka en personne, dit grand-papa Joe.

Tous deux, grand-papa Joe et Charlie, mirent un bon moment à faire comprendre à la famille ce qui leur était arrivé au cours de la journée. Et même après qu'ils eurent compris, tous refusèrent de monter dans l'ascenseur qui devait les transporter à la chocolaterie.

– J'aime encore mieux mourir dans mon lit ! décréta grand-maman Joséphine.

– Moi aussi ! cria grand-maman Georgina.

– Je refuse de partir ! déclara grand-papa Georges.

Alors, sans se soucier de leurs cris, Mr Wonka,

grand-papa Joe et Charlie poussèrent le lit dans l'ascenseur. Puis ils y firent entrer de force Mr et Mrs Bucket. Enfin ils montèrent eux-mêmes. Mr Wonka appuya sur un bouton. Les portes se fermèrent. Grand-maman Georgina poussa un cri aigu. Et l'ascenseur s'ébranla, repassa par le trou du toit et s'envola dans le ciel.

Charlie grimpa sur le lit et tenta de réconforter les trois vieux morts de peur.

– Ne craignez rien, dit-il. C'est sans danger. Et l'endroit où nous allons est le plus merveilleux du monde !

– Charlie a raison, dit grand-papa Joe.

– Trouverons-nous quelque chose à manger, là-bas ? demanda grand-maman Joséphine. Je meurs de faim ! Toute la famille meurt de faim !

– À manger ? dit en riant Charlie. Oh ! Attendez, vous verrez !

Table des matières

1. Voici Charlie,   9

2. La chocolaterie de Mr Willy Wonka,   17

3. Mr Wonka et le prince indien,   23

4. Les ouvriers mystérieux,   27

5. Les tickets d'or,   33

6. Les deux premiers gagnants,   37

7. L'anniversaire de Charlie,   45

8. Deux autres tickets d'or trouvés,   49

9. Grand-papa Joe tente sa chance,   55

10. La famille commence à mourir de faim,   59

11. Le miracle,   67

12. Ce qui était écrit sur le ticket d'or,   73

13. Le grand jour est là,   81

14. Mr Willy Wonka,   85

15. La salle au chocolat,   93

16. Les Oompa-Loompas,   99

17. Augustus Gloop saisi par le tuyau,   105

18. En descendant la rivière de chocolat,   115

19. La salle des inventions. Bonbons inusables
    et caramels à cheveux,   123

20. La grande machine à chewing-gum,   129

21. Adieu, Violette !   133

22. Le long du corridor,   143

23. Les bonbons carrés qui ont l'air d'être ronds,   149

24. Veruca dans la salle aux noix,   153

25. Le grand ascenseur de verre,   163

26. La salle au chocolat télévisé,   171

27. Mike Teavee se fait téléviser,   179

28. Seul Charlie reste,   193

29. Les autres enfants rentrent chez eux,   201

30. La chocolaterie de Charlie,   205

Quentin Blake

L'illustrateur

Quentin Blake est né dans le Kent, en Angleterre. Il publie son premier dessin à seize ans dans le célèbre magazine satirique *Punch*, et fait ses études à l'université de Cambridge. Il s'installe plus tard à Londres où il devient directeur du département Illustration du prestigieux Royal College of Art. En 1978, commence sa complicité avec Roald Dahl qui dira : « Ce sont les visages et les silhouettes qu'il a dessinés qui restent dans la mémoire des enfants du monde entier. » Quentin Blake a collaboré avec de nombreux écrivains célèbres et a illustré près de trois cents ouvrages, dont ses propres albums (*Clown, Zagazou*…). Certains de ses livres ont été créés pour les lecteurs français, tels *Promenade de Quentin Blake au pays de la poésie française* ou *Nous les oiseaux*, préfacé par Daniel Pennac. En 1999, il est le premier Children's Laureate, infatigable ambassadeur du livre pour la jeunesse. Il est désormais Sir Quentin Blake, anobli par la reine d'Angleterre pour services rendus à l'art de l'illustration, et son œuvre d'aujourd'hui va aussi au-delà des livres. Ce sont les murs des hôpitaux, maternités, théâtres et musées du monde entier qui deviennent les pages d'où s'envolent des dessins transfigurant ces lieux. Grand ami de la France, il est officier de l'ordre des Arts et des Lettres et chevalier de la Légion d'honneur.

Pour en savoir plus sur

ROALD DAHL

Roald Dahl était un espion, un pilote de chasse émérite, un historien du chocolat et un inventeur en médecine. Il est aussi l'auteur de *Charlie et la chocolaterie*, *Matilda*, *Le BGG* et bien d'autres fabuleuses histoires : il est le meilleur conteur du monde !

Du même auteur chez Gallimard Jeunesse

FOLIO CADET

Fantastique Maître Renard, n° 431
La Girafe, le pélican et moi, n° 278
Le Doigt magique, n° 185
Les Minuscules, n° 289
Un amour de tortue, n° 232
Un conte peut en cacher un autre, n° 313

FOLIO JUNIOR

Charlie et la chocolaterie, n° 446
Charlie et le grand ascenseur de verre, n° 65
Coup de gigot et autres histoires à faire peur, n° 1181
Escadrille 80, n° 418
James et la grosse pêche, n° 517
L'enfant qui parlait aux animaux, n° 674

La Potion magique de Georges Bouillon, n° 463
Le BGG, n° 602
Les Deux Gredins, n° 141
Matilda, n° 744
Moi, Boy, n° 393
Sacrées Sorcières, n° 613
Tel est pris qui croyait prendre, n° 1247

*La Poudre à boutons et autres secrets mirobolants
de Roald Dahl*, n° 1759

FOLIO JUNIOR XL
*Trois Histoires (Charlie et la chocolaterie – Charlie et
le grand ascenseur de verre – James et la grosse pêche)*

FOLIO JUNIOR VO
Lamb to the Slaughter and Other Stories, n° 1731

FOLIO JUNIOR THÉÂTRE
Charlie et la chocolaterie, n° 1235
James et la grosse pêche, n° 1272
Le Bon Gros Géant, n° 1467
Sacrées Sorcières, n° 1452

BIBLIOTHÈQUE GALLIMARD JEUNESSE
Matilda (préface de Jean-Claude Mourlevat)
Charlie et la chocolaterie (préface de Susie Morgenstern)

SCRIPTO
Coup de chance et autres nouvelles

GRAND FORMAT LITTÉRATURE
*Charlie et la chocolaterie – Charlie et le grand ascenseur
de verre – James et la grosse pêche – Matilda*

ALBUM
L'Énorme Crocodile

ÉCOUTEZ LIRE
Charlie et la chocolaterie
Charlie et le grand ascenseur de verre
Coup de gigot et autres histoires à faire peur
Fantastique Maître Renard
James et la grosse pêche
La Potion magique de Georges Bouillon
Les Deux Gredins
Matilda
Sacrées Sorcières
Le Bon Gros Géant

HORS-SÉRIE
Charlie et la chocolaterie. Un livre pop-up

LIVRE AUDIO
L'Énorme Crocodile

Découvre d'autres livres
de **Roald Dahl**

———————

dans la collection

CHARLIE ET
LE GRAND ASCENSEUR DE VERRE

n° 65

Charlie a gagné la fabuleuse chocolaterie de Willy Wonka,
qu'il survole maintenant à bord d'un extraordinaire engin,
le grand ascenseur de verre, en compagnie de toute sa
famille. Mais une fausse manœuvre projette l'ascenseur
dans l'espace. Un espace qu'ils découvrent peuplé d'êtres
fantastiques et monstrueux, les Kpoux Vermicieux, terreurs
de l'univers interstellaire, contre lesquels ils vont livrer une
terrible bataille…

LES DEUX GREDINS
n° 141

La barbe de Compère Gredin est un véritable garde-manger, garnie des miettes de ses monstrueux festins : restes de spaghettis aux vers de terre, bribes de tartes aux oiseaux… un régal que Commère Gredin lui prépare chaque semaine. Mais voilà qu'une bande de singes acrobates va troubler les préparatifs du plat hebdomadaire…

LA POTION MAGIQUE
DE GEORGES BOUILLON
n° 463

La plupart des grands-mères sont d'adorables vieilles dames, gentilles et serviables. Hélas, ce n'est pas le cas de la grand-mère de Georges ! Grincheuse, égoïste, elle ressemble à une sorcière et elle a des goûts bizarres : elle aime se régaler de limaces, de chenilles… Un jour, alors qu'elle vient une fois de plus de le terroriser, Georges décide de lui préparer une potion magique. Une potion aux effets surprenants… et durables !

JAMES ET LA GROSSE PÊCHE

n° 517

Le petit James mène une existence bien malheureuse auprès de ses deux tantes abominablement méchantes, tante Éponge et tante Piquette, qui le tourmentent sans cesse. Un jour, un vieil homme confie à James un sac rempli de bizarres petites choses vertes. James les fait tomber par mégarde au pied du vieux pêcher et voilà qu'une pêche géante se met à pousser ! Cette pêche va bouleverser la vie de James…

LE BGG
LE BON GROS GÉANT

n° 602

Sophie ne rêve pas, cette nuit-là, quand elle aperçoit de la fenêtre de l'orphelinat une silhouette immense vêtue d'une longue cape et munie d'une curieuse trompette. Une main énorme s'approche et saisit la petite fille terrifiée pour l'emmener au pays des géants. Mais heureusement, Sophie est tombée entre les mains d'un géant peu ordinaire : le Bon Gros Géant, qui se nourrit de légumes et souffle des rêves dans les chambres des enfants…

SACRÉES SORCIÈRES

n° 613

Ce livre n'est pas un conte de fées, mais une histoire de vraies sorcières. Vous n'y verrez ni stupides chapeaux noirs, ni manche à balai. La vérité est bien plus épouvantable. Les vraies sorcières sont habillées de façon ordinaire, vivent dans des maisons ordinaires et ressemblent à n'importe qui. Si on ajoute qu'une sorcière passe son temps à dresser les plans les plus démoniaques pour attirer les enfants dans ses filets, il y a de quoi se méfier !

MATILDA

n° 744

À l'âge de cinq ans, Matilda sait lire et a dévoré tous les classiques de la littérature. Pourtant, son existence est loin d'être facile, entre une mère indifférente, abrutie par la télévision, et un père d'une franche malhonnêteté. Sans oublier Mlle Legourdin, la directrice de l'école, personnage redoutable qui voue à tous les enfants une haine implacable…

Le papier de cet ouvrage est composé de fibres naturelles,
renouvelables, recyclables et fabriquées à partir de bois
provenant de forêts gérées durablement.

Mise en pages : Maryline Gatepaille

Loi n° 49-956 du 16 juillet 1949
sur les publications destinées à la jeunesse
ISBN : 978-2-07-060157-8
Numéro d'édition : 301026
Premier dépôt légal dans la même collection : septembre 1987
Dépôt légal : juin 2016

Imprimé en Espagne par Novoprint (Barcelone)